年間4万人を

銃で殺す国、アメリカ

終わらない「銃社会」の深層

矢部 武 Takeshi Yabe

花伝社

年間4万人を銃で殺す国、アメリカ——終わらない「銃社会」の深層◆目次

第2章 なぜ常識的な銃規制を実施できないのか

第3章　銃と白人至上主義とトランプ前大統領　81

第4章　銃問題を通して見えてくる米国の本質　109

序 章

銃暴力の蔓延という
アメリカの病

「イカれた国に住みたくない」と帰国を決意

近年米国では学校や職場、スーパー、ショッピングセンター、映画館、コンサート会場、教会など至る所で銃撃事件が発生しており、もはやこの国に安全に過ごせる場所はないと言っても過言ではない。そんな銃による暴力（銃暴力）が蔓延する社会に嫌気がさし、米国を離れる決心をした超有名人がいる。約25年前、イギリスのバーミンガムから米国のロサンゼルスに移り住んだ人気ロック歌手のオジー・オズボーン（74歳、2023年5月現在）である。

オジーは1970年代にハードロックバンド「ブラック・サバス」のボーカルとしてキャリアをスタートし、「プリンス・オブ・ダークネス（闇の王子）」の愛称で人気を博して、ヒット曲「アイアン・マン」や大ヒットアルバム「パラノイド」などで一世を風靡した。その後、米国のテレビ界への転身を図り、ロック歌手のオジーとその一家のハチャメチャな日常生活を描いたMTVのリアリティ番組「オズボーンズ」は4シーズンにわたって放送され、大きな成功を収めた。私生活では薬物依存症や不倫など多くの問題を抱えていたが、妻でマネージャーのシャロンさんの献身的な支えもあり、困難を乗り越えてきた。

そんなオズボーン夫妻が母国イギリスへ帰る決心をしたと、2022年8月、米英のメディアは大きく報道した。2人はロサンゼルスの高級住宅地「ビバリーヒルズ」にある大邸宅を1800万ドル（約23億4000万円、1ドル＝130円）で売りに出したそうだ。

オズボーン夫妻は英紙ガーディアンとのインタビューで、米国で常態化している銃撃事件の問題について率直に語った。

オジーはあえて放送禁止用語のFワードを使い、「すべてがクソばかげている（fucking ridiculous）。毎日毎日、人が殺されているのにうんざりだ。いったい何人の子供たちが学校の銃乱射事件で殺されているのか。それにラスベガスではコンサート会場で大量殺人事件が起きた。まったく狂っているよ（fucking crazy）……」と、吐き捨てるように言った。

ラスベガスの事件とは、２０１７年10月１日、カントリーミュージックのフェスティバル会場で男が自動小銃を乱射し、60人が死亡、５００人以上が負傷した米国史上最悪の銃乱射事件のことだ。また、学校での銃乱射事件も多発し、特に２０２２年５月24日、テキサス州ユバルディのロブ小学校で児童19人と教師２人が射殺された事件は全米を震撼させた。

そして妻のシャロンさんも夫の気持ちに共鳴してこう続けた。

「アメリカはとても劇的に変わりました。ここはもはや〝ユナイテッド・ステイツ〟（合衆国）ではありません。何一つ団結していません。いま住んでいるのは非常に奇妙な（異様な）場所です」

それから数か月後、オジーは他のメディアとのインタビューで、「イギリスへ戻る計画を立てているが、それを楽しみにしているわけではない。正直言うと、戻りたくないんだ。俺はもうアメリカ人なんだから」と迷っていることを明かした。

今後、オジー夫妻の移住計画がどうなるかわからないが、いずれにしても米国の銃暴力の蔓延は、2人に移住を真剣に考えさせるほどひどい状況になっているということだ。

しかも米国にとっての深刻な問題は、銃撃事件が日常的に起きていることの「異常さ」を人々が認識せず、銃所持の権利ばかりを主張し、政府や国民が団結して銃規制強化に取り組もうとしていないことである。その結果、銃所持が事実上野放し状態となり、約3億3200万の人口（2021年の国勢調査）より1億も多い約4億3300万丁の銃（全米射撃スポーツ財団＝NSSFの調査）が出回っている。民間所有の銃の数が人口より多いのは、世界中で米国だけである。

銃暴力の被害も甚大で、米国疾病予防管理センター（CDC）の調査では、2020年に銃で命を落とした人の数は殺人、自殺、誤射事件を含め4万5222人にのぼった。図表0−1には、2004年から2020年までの銃による年間死者数が示されているが、注目すべきは2004年からほぼ毎年少しずつ増え続け、2017年から2019年にかけて高止まりした後、2019年から2020年にかけて大幅に増えたことだ。死者数急増の大きな要因として、2020年初めから大流行した新型コロナウイルス（以下、新型コロナ）による不安の高まりで銃購入と銃犯罪が急増したことが指摘されているが、それについては第1章で詳しく述べる。

2020年には毎日およそ124人が銃で死亡したことになるが、この数字は米国が2001年以降に関わったアフガニスタン戦争とイラク戦争による米兵死者数を合わせた約7000

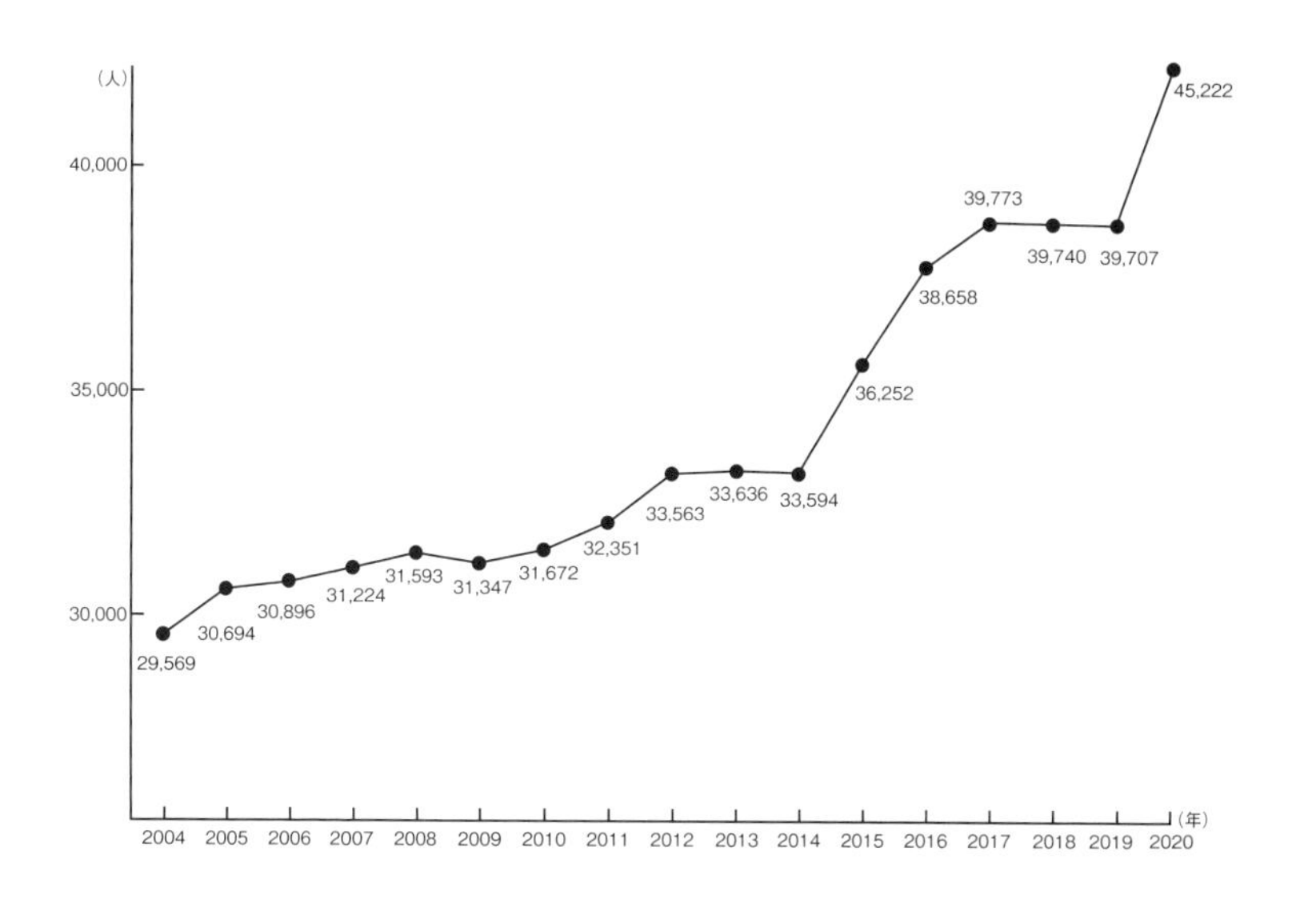

図表 0－1　米国の銃による年間死者数（2004-2020 年）
出所：CDC、Statista などのデータをもとに作成

人をはるかに上回り、まるで国内で銃による内戦が起きているような状況である。

一方、オズボーン夫妻が移住を考えているイギリスは、銃暴力の被害に関して米国とほぼ真逆の状況となっている。イギリスでは拳銃の禁止などを含め欧州で最も厳しい銃規制を実施していることもあり、人口10万人当たりの銃による殺人発生率は米国の100分の1以下に抑えられている。

銃暴力が蔓延している米国の状況がいかに「異常」であるかをわかりやすく、かつ具体的に示すために、銃暴力に関連するコストをすべて数字で表してみたい。これは非常に難しい作業だが、銃暴力の啓発や研究調査、銃規制の推進などを行っているNPO団体「エブリタウン・フォー・ガン・セーフティ（EFGS）」が様々なデータをもとに計算し、その結果をまとめた報告書『銃暴力の経済的コスト』を発表した。被害者の医療費や銃犯罪に関する警察の捜査ならびに刑事司法関連の費用、銃暴力で従業員を失った雇用主が被る損失、さらに被害者やその家族が受ける損失や生活の質の低下などを合わせると、全体のコストは年間約2800億ドル（約36兆4000億円）に達するという。これは日本の国家予算のおよそ3分の1に相当する額だが、これだけの犠牲を払っているのに米国はなぜ、常識的な銃規制を実施できないのか。

イギリスやカナダ、オーストラリアなど米国と関係の深い他の主要国は効果的な銃規制を実施し、銃暴力による犠牲を低く抑えているのに、米国はなぜそれができないのか。本書ではそのヒントや答えを探りながら、銃問題を通して見えてくる米国の本質について考察してみたい。

なぜ銃規制を強化できないのか

米国がなかなか銃規制を強化できない理由としてよく指摘されるのは、国民の銃所持の権利を保障した合衆国憲法修正第2条（以下、修正第2条）と、米国最強のロビー団体「全米ライフル協会（NRA）」の存在である。修正第2条は「規律あるミリシア（民兵）の結成は、自由な国家の安全にとって必要であるから、国民が武器を所有し、携帯する権利はこれを侵してはならない」と規定している。そしてNRAはこの条項を錦の御旗にして、銃規制法案をつぶすための強力なロビー活動を展開している。

NRAの強さの秘密は、銃所持の権利を強硬に主張する銃所持派の人たちを中心とした約500万人の会員のすさまじい情熱と団結力と、年会費や銃メーカーによる豊富な資金力を使った政治家へのロビー活動などにある。

NRAは「法律を守る良き市民から銃を取り上げても銃犯罪の防止に役立たない」との主張を展開しながら、銃規制に反対する共和党議員に多額の献金をする一方、銃規制に積極的な民主党議員を選挙で落選させるために徹底的に攻撃する。

ニクソン、レーガン、ブッシュ（父）など共和党の歴代大統領の多くがNRAの会員となり、また現職の有力議員はNRAから多額の献金を受けている。

2016年大統領選に共和党から立候補したマルコ・ルビオ上院議員は約330万ドル（約

4億2900万円）を、また2008年大統領選で共和党指名候補となった故ジョン・マケイン上院議員（2018年に死去）は生涯キャリアの中で約770万ドル（約10億1000万円）を受け取っていたという。さらにトランプ前大統領も、2016年の選挙で2100万ドル（約27億3000万円）相当の献金を受け取っていたことがわかっている（政治献金などを調査する非営利団体「責任ある政治センター＝CRP」より）。共和党の大統領や有力議員がこれだけ親しい関係にあったら、NRAが反対する銃規制法案に賛成することはできないだろう。

NRAは「銃を持たなければ身の安全も自由も守れない」と主張し、銃所持の権利と必要性を強く訴える。しかし、護身用の銃がいざという時に役立たないことはデータによって示されている。にもかかわらず、米国人の多くがNRAの主張を信じて銃を所持しようとする（銃で身の安全を守ろうとする）のはなぜなのか。それは、彼らが心の中に強い不安や恐怖を抱えているからではないかと思われる。実際、銃の所有者のなかには強い不安や恐怖の気持ちを持っている人が少なくないことが調査結果からわかっている。その不安は銃を持つことで和らぐというが、護身用の銃がいざという時に役立たないことを示す調査結果をみれば、それは「偽りの安心感」でしかないということになる。

もし、「法律を守るすべての市民が銃を持てば犯罪は減り、安全な社会になる」というNRAの主張が正しければ、米国は世界で最も安全な国の1つになっているはずだが、現実はそれとほぼ真逆の状況になっている。

銃問題をめぐる米国内の分断が先鋭化

米国では近年、社会の分断が深刻化しているが、実は分断はずっと以前から存在している。その大きな要因となってきたのが、銃問題をめぐる対立である。

銃問題をめぐって2つのグループが存在していると考えると、わかりやすい。1つは銃所持の権利を強硬に主張する「銃所持派」の人たちだが、彼らの多くは白人保守派の共和党員で、トランプ前大統領の支持者でもある。もう1つは銃暴力による甚大な被害を減らすために銃規制強化が必要だと主張する「銃規制派」の人たちで、多くは人種多様なリベラル派の民主党員だ。このような銃問題をめぐる国民の対立と分断が、ワシントンの連邦議会の分断につながっているのである。

米国では大規模な銃乱射事件が起こるたびに銃規制強化を求める機運が高まり、連邦議会で主に民主党議員によって法案が提出されるが、NRAやその影響を強く受けた共和党議員らによってことごとくつぶされてしまう。バイデン政権下でも大統領と議会民主党は銃暴力の被害を減らすために、全ての銃購入者の犯罪歴や精神障害歴などの身元調査の厳格化や、多くの銃乱射事件で使用されている殺傷力の高い半自動小銃などの販売禁止を含む銃規制法案の成立を目指しているが、共和党の反対でなかなか成立させることができない。

2022年6月には28年ぶりに連邦レベルの銃規制法案が成立したが、その中身は全く不十分で、バイデン大統領や民主党議員の多くが求めたのとは程遠い内容だった。この時はテキサス州ユバルディの小学校で起きた凄惨な銃乱射事件の後の世論の高まりを受けて、一部の共和党上院議員が珍しく民主党との銃規制法案の協議に応じたため、議会で可決することができた。しかし、法案の可決に必要な共和党議員の賛成を得るために民主党側は何度も妥協を迫られ、結局、規制強化の重要な部分が除外されてしまったのである。

それでもバイデン大統領は、「私が必要と考える対策の全てを満たすものではないが、正しい方向に向けた重要な進展をもたらすものだ」として、法案に署名した。この法案の詳しい内容や成立するまでの超党派の協議については、第2章で改めて説明する。

銃問題を通して見えてくるアメリカの本質

銃問題を通して米国社会について考えると、その本質がいろいろ見えてくるが、特筆すべきは個人の自由と権利、憲法などへの異常なほどの執着、こだわりである。たとえば、銃所持派の人たちは銃暴力の犠牲者がどれだけ増えようとも、憲法修正第2条を盾にして個人の銃所持の権利を制限するような銃規制を絶対に認めようとしない。これに対し、銃規制派の人たちは常識的な銃規制を求めて闘っているが、個人の自由と権利、憲法を守ろうとする銃所持派の凄まじいパワーと団結力には及ばないため、銃規制を強化できないでいる。

銃所持派の人たちは公共の安全よりも個人の自由・権利を守ることを優先しているように見

えるが、その姿勢は、新型コロナの感染拡大防止のためのマスク着用やワクチン接種に反対する人たちとも共通している。

共和党のトランプ前大統領が在任中、マスクの効果に疑問を呈したり、ワクチン接種を積極的に呼びかけなかったりしたことから（トランプ氏個人はワクチンを接種したというが）、彼の支持者や共和党の保守派などを中心にマスク着用とワクチン接種を拒否する人が増え、感染対策が思うように進まず、爆発的な感染再拡大を招いてしまった。

そこでバイデン政権は公共の安全を守るという公衆衛生の観点から連邦機関の職員や大企業の従業員にワクチン接種とマスク着用を義務付ける措置を講じた。すると、共和党の連邦議員や州知事らが「憲法違反だ」「個人の自由への脅威だ」「政府の権限を逸脱している」などと激しく抗議し、連邦裁判所に提訴。裁判は最高裁まで争われたが、保守派判事が圧倒的多数を占める最高裁は２０２２年1月14日、共和党側の訴えを認め、バイデン政権の措置を差し止める判決を下した。

一方、３人のリベラル派判事は、「新型コロナウイルス感染症がこの国の労働者にもたらす、かつてない脅威に対抗する連邦政府の能力を阻害する」と述べ、一部の労働者へのマスク着用とワクチン接種を義務化することの正当性を説き、措置の差し止めに反対した。しかし、あくまで個人の権利と自由を優先させようとする保守派判事はその主張を認めなかった。

このように銃問題をめぐる対立と似たようなことが新型コロナの感染予防対策においても起

きており、まさにこの問題は米国社会の縮図なのである。

他に銃問題をめぐる興味深い議論としては、「銃がなければ自由も民主主義も守れない」という銃所持派の主張がある。つまり、「政府は国民から銃を取り上げて絶対的な権力を持とうと、虎視眈々と狙っている。だから、国民は銃を手放してはならない」というのだが、メディアの報道や世論、選挙などを通して政府の腐敗や権力乱用を監視するのが、本来の民主主義国のやり方ではないかと思う。

しかし、偶然にも銃所持派の主張は、ロシアに軍事侵攻されたウクライナで銃を持って自分や家族の命を守るために戦っている人たちが主張しているのと似ている部分がある。そこで問われているのは、いくら平和を唱えても、銃という武器がなければ国民の生命と自由は守れないのではないかということだ。

両者の決定的な違いは、ウクライナは戦時下にあり、米国は平時の状況下にあることだが、米国の憲法修正第2条についてよく考えると、必ずしも平時の状況下を想定したものとは言えない部分がある。なぜなら銃所持の権利を認めた修正第2条は、イギリスとの独立戦争を戦った「ミリシア（民兵）」をもとに作られているため、これはミリシア（現代の州兵）の武装する権利を認めたもので、すべての国民の銃所持の権利を保障したものではないと主張する法律専門家もいるからである。修正第2条の解釈をめぐる議論については第2章で詳述するが、本書では「銃がなければ自由も民主主義も守れない」という銃所持派の主張もまじえて、米国の銃問題について論じていきたい。

きっかけとなった痛ましい日本人留学生射殺事件

私が米国の銃問題についての取材を始めたのは今から30年ほど前のことだが、そのきっかけとなった痛ましい日本人留学生射殺事件がある。

1992年10月17日、ルイジアナ州バトンルージュの高校に留学中だった名古屋市出身の服部剛丈さん（16歳）がハロウィーンの仮装パーティに行く途中、訪問先を間違え、別の家を訪ねた。ところが、その家に住んでいた白人男性は彼を強盗かと思い、両手に銃を構えて、「フリーズ！（動くな）」と叫んだ。しかし。服部さんはそれがよく聞き取れなかったのか、止まらずに男の方に向かって歩き続けたため、撃たれて死亡した。

その男は傷害致死罪で起訴されたが、「不法侵入者から身を守るために銃の引き金を引いた」と正当防衛を主張し、なんとそれが認められて無罪評決を得た。裁判では武器を持っていなかった服部さんに対して発砲の必要はなかったのではないか、なぜ警察を呼ばなかったのかなどの意見も出たが、審理が行われたのが、米国でも特に銃の所持や使用に対して寛大な土地柄の南部ルイジアナ州だったこともあり、男は無罪となったのである。

この事件に衝撃を受けた私はその後、銃問題の取材を本格的に始め、『アメリカよ、銃を捨てられるか――自由と正義の国の悲劇と狂気』（廣済堂出版、1994年）、『もし銃を突きつけられたら――銃社会アメリカの安全な歩き方』（ダイヤモンド社、１９９６年）などの著書を出した。これらの本では銃所持の賛成派と反対派への徹底取材をもとに、米国はなぜ銃を捨てられないのかの疑問に迫り、また、多くの日本人にとって無縁ではない米国の銃社会で自分を守るために銃といかに向き合うかなどについて具体的に示した。その実態をよく知ることは、特に米国を訪れる日本人観光客や長期滞在する留学生、駐在員などにとっては生死に関わる問題だからである。

この30年間、米国の銃問題をずっと見てきてつくづく思うのは、この国で常識的な銃規制を実施することの難しさである。背景には全米ライフル協会の存在や憲法修正第2条の他に、米国が大切にしている個人の権利と自由、民主主義などの基本的価値と銃問題が密接に関係していることがある。

米国の銃問題は日本の政府や国民にとっても対岸の火事ではない。特に最近の国際情勢を見れば、ロシアによるウクライナへの軍事侵攻が起き、アジアでは中国による台湾侵攻の可能性が現実味を帯びてきており、このような状況のなかで、日本の米国への依存度はどんどん高まっている。米国との強固な信頼関係を築くことが日本の行く末を左右するのであれば、銃問題を通して見えてくる米国の本質を理解することは日本にとって非常に重要である。本書がそのために少しでも役立てば幸いである。

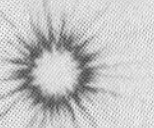

第1章

自国民を殺し続ける
アメリカ銃社会

コロナ禍の不安の高まりで銃の購入が急増

米国では新型コロナウイルス（以下、新型コロナ）の感染拡大が始まった2020年1月頃から、銃の購入が急増した。銃暴力の啓発や研究調査などを行っているNPO団体「エブリタウン・フォー・ガン・セーフティ（EFGS）」によると、2020年に米国人が購入した銃の数は約2200万丁で前年よりも40％増え、増加傾向は2021年に入っても続いたという。

EFGSはその理由について、コロナ禍での人々の孤立や失業、経済的困窮などによる不安の高まりに加え、「政府や警察はいざという時に頼りにならない」「自分の身は自分で守らなければならない」など、米国人特有の自衛意識の高まりがあるのではないかと分析した。米国にはもともと、不安や恐怖を抱えた人が多いが、新型コロナのパンデミックによってその傾向がより顕著になったようだ。

銃規制が緩く、銃購入者の身元調査がきちんと行われていない米国では、銃の売上が増えると犯罪歴のある前科者や、社会への怒り、憎しみなどを抱えた人たちの手にも多くの銃がわたってしまうため、結果的に銃犯罪や銃撃事件が増えることになる。

EFGSが全米129の主要都市の法執行機関を対象に、銃暴力犯罪の発生状況が2019年から2020年にかけてどう変化したかを調査したところ、4分の3近くの都市で銃による殺人が増加し、約5分の4の都市で銃による傷害事件が増加したことがわかった。また、銃撃事件の被害者は家庭内でも同様に増加し、コロナ禍で家族が家にいる時間が長くなったことで、暴力的なパートナーによる銃撃事件が増えた。さらに子供も休校などによって家で過ごす時間が増え、銃を持って遊んだりしている間に意図せず誤って自分やほかの誰かを撃ってしまう事件などが急増した。

ＥＦＧＳの調査では、２０２０年3月~12月の間、子供による意図しない銃撃事件は計３１４件発生。それによって１２８人が死亡し、１９９人が負傷した。被害者のなかには銃を撃った本人の兄弟や親戚の子供、学校の友人なども含まれていたという。家の中に置かれた銃が安全に鍵をかけて保管されず、子供が簡単にアクセスできてしまうから、このような事件が繰り返されてしまうのである。

一方、新型コロナに関しては感染拡大が始まった２０２０年初め、トランプ前大統領がウイルスの脅威を過小評価し、検査体制整備や感染経路の追跡、感染者の隔離などの初期対応が遅れたことで、米国は世界最大の感染国となってしまった。その後もずっとこの悲惨な状況は変わらず、２０２２年11月27日時点で、米国の累計感染者数は約９８５６万人、死亡者数は約１０７万人となった（ジョンズ・ホプキンス大学の集計より）。

米国政府は銃暴力の蔓延というもう一つの「疫病」に対してもずっと有効な対策を打ち出せずにきたため、新型コロナとともに二つの公衆衛生上の危機に直面することになったのである。

スーパーで安心して買い物ができない社会

銃撃事件は様々な場所でほぼ日常的に発生しているが、特に怖いのは人々が多くの時間を過ごす職場や頻繁に立ち寄るスーパーマーケットなどで起こる事件である。

２０２１年3月22日午後2時半ごろ、コロラド州ボルダーにある大手スーパー「キング・スーパーズ」の駐車場で殺傷力の高い半自動小銃を持った男がいきなりバン、バン、バンと発砲し、その後店内に入り、乱射を続けた。買い物客や店員など10人が死亡したが、その中には通報を受けて真っ先に駆け付けたエリック・タリー警察官（51歳）も含まれていた。彼は犯人との銃撃戦の末に死亡したが、その間に多くの客が店から逃げ出すことができたという。

タリー警察官は7人の子供の父親だったが、彼の母親は事件後、ＡＢＣニュースの番組で涙をこらえながらこう話した。

「息子のエリックは皆に愛されていました。他の人を救うために命をささげたのです。（彼の）妹は小さい時の写真を見せ、『いつも兄が守ってくれた』と言っていました。エリックは事件現場にいた人たち全員を救いたいと思って、真っ先に現場に入ったのです……」

この日、ボルダーの住民は悲嘆に暮れ、タリー警察官が乗っていたパトカーにはたくさんの花束が手向けられた。殺害された10人は単なる統計の一部ではない。彼らにはそれぞれの人生があり、大切な人がいて、その死を受け入れられずに苦しんでいる人が大勢いた。

ボルダーでは事件の2日後に犠牲者を追悼する集会が行われたが、ABCニュースはスーパーの店内にいて助かった人たちの複雑な思いと悲嘆に暮れる様子を伝えた。乳製品売り場で働いていたドルシー・ロペスさんは、発砲が始まるとすぐに床に体を伏せ、這うようにして戸棚の中に入ったという。

「丸くなって身を縮めていましたが、犯人がこちらに来て撃たれると思っていました。これが私の住む世の中なら、死んでもいいとも思いました。こんな社会に住みたくないからです」と、一度はあきらめかけた。でも、警察官の姿が見え、特殊部隊が到着した時は、「本当にほっとしました。これで死ななくてもいい。助かるんだと思いました」と話した。

しかし、ロペスさんは亡くなった同僚たちのことが頭から離れないという。

「リッキー・オーズさんは25歳でまだ若く、元気のいい子でした。デニス・ストーンさんは犠牲者の中では最年少の20歳で、母親も店で働いていました」

ロペスさんは発砲直後、「デニスはどこ?」と息子を探し回っている母親の姿を見たが、見つけられなかったそうだ。

リッキーさんはマネージャーだったが、とても面倒見がよくて多くの部下や同僚から慕われていた。デニスさんはパイロットになりたいと考え、ライセンスの取得費用を稼ぐために勤務時間を増やして働いていたというが、彼らの人生は一瞬にして奪われてしまったのである。

犯人のアフマド・アリッサ(21歳)は10件の第1級殺人罪で起訴されたが、過去に脅迫や暴行などの犯罪歴があった。コロラド州の銃規制法は購入者の犯罪歴などの身元調査を義務付けており、本来ならそれに引っかかって銃を購入できなかったはずだが、制度がきちんと機能していなかったためにすり抜けてしまったようだ。

この事件が起きたボルダーのあるコロラド州ではこれまで、銃乱射事件の悲劇が何度も繰り返されてきた。２０１２年のオーロラの映画館襲撃事件では12人が死亡し、70人以上が負傷。続いて２０１５年にコロラドスプリングスの病院が銃で武装した男に襲われ、３人が死亡し、９人が負傷した。さらに全米に衝撃を与えた１９９９年のコロンバイン高校の乱射事件では生徒12人と教師１人が亡くなり、犯人の生徒２人は自殺した。

コロンバイン高校の事件で息子を失ったというトム・ハウザー氏は、今回の大型スーパー銃撃事件が起きた夜、ＡＢＣテレビの報道番組「ナイトライン」に出演し、こう話した。

「これが新たな日常であってはならない。スーパーで安心して買い物できる社会でなくてはなりません。あまりにも多くの人命が失われました。自分の身にこんなことが起きるなんて思ってもみなかったと、事件に遭遇した人は皆言います。乱射事件に遭遇した人たちに言いたい。その日が来るまで待っていてはいけない。米国の銃文化がこうした状況を生み出しました。これ以上手をこまねいていてはいけません」

ハウザー氏はコロンバイン高校の事件後、犯人の銃の購入を可能にした法律の抜け穴をなくすための銃規制運動に加わっているというが、彼の訴えもむなしく、その後も銃による大量殺傷事件は繰り返されている。

職場でも銃乱射事件が日常的に起きている

銃乱射事件はスーパーから、人々が毎日多くの時間を過ごす職場にも広がっている。米国人はもはや安心して買い物ができないだけでなく、会社で働くこともできなくなってしまったようだ。

コロラド州ボルダーのスーパーの事件から数週間後の2021年4月15日、インディアナ州インディアナポリスにある物流大手「フェデックス」の施設で、男が無言のまま殺傷力の高い半自動小銃を発砲し、19歳から74歳の従業員8人を殺害した。あっという間の出来事だったという。犯人の19歳の男は以前同社で働いていた元従業員で、会社に対して個人的な恨みや不満を持っていた可能性はあるが、犯行後に自殺してしまったため、はっきりしたことはわからなかった。

捜査当局によれば、男は精神疾患の治療歴があったため、インディアナ州の銃規制法では銃所有の適性に関する審査を受けなければならなかったが、その審査がきちんと行われていなかったという。つまり精神疾患歴のある人の銃の購入や所持を強制的に止める制度はあったが、それが機能していなかった。ここでも銃規制の問題が大規模な乱射事件につながってしまったようだ。

続いて翌5月には、アップルやグーグルなど大手ＩＴ企業の本社が集まるカリフォルニア州シリコンバレーを走る電車の車庫が事件の現場となってしまった。同州サンノゼにある「サンタクララバレー交通局（ＶＴＡ）」に勤めていた57歳の男（サミュエル・キャシディ）が同僚９人を銃で殺害し、自らも撃って自殺した。ＶＴＡはサンタクララ郡でバスや電車などの公共交通機関を運営する会社である。

犯人はその日の朝早く自宅に火を放った後に家を出た。自宅の防犯カメラには彼が大きなバッグを持って家を出る様子が映っており、その中には半自動小銃３丁と32個の大容量弾倉が入っていたという。

最初に緊急通報が入ったのは、５月26日午前６時34分。警察官が現場に到着した時はまだ２つの建物で発砲が続いており、従業員は避難し、被害者の救出が行われた。９人の犠牲者はいずれも男性で、年齢は27歳から63歳だった。生き残った従業員は床に転がっていた同僚の遺体を見てショックを受け、悲しみに打ちひしがれた。

事件翌日のＡＢＣニュースによれば、男は２０１６年に海外旅行先のフィリピンから帰国した際、税関で彼がいかにＶＴＡを嫌っていたかについて書かれたノートやテロに関する本が見つかったため、職員から質問を受けたという。実際、彼は職場で銃を発砲する前に、一部の従業員に対して「君たちは撃たないから心配するな」と告げていたそうだ。このように危険な兆候を示していた人物に対し、銃の所持を制限・禁止するなどの措置が講じられた形跡はない。

一方、男が半自動小銃を発砲する状況下で、危険を顧みずに他の従業員を助けようと電話をかけたりしている間に撃たれた人もいた。

3歳の子供の父親のアレックス・フリーチさんは重傷を負って病院に搬送されたが、しばらくして亡くなった。彼の最後を看取った妻のテレサさんはABCニュースの記者にこう語った。

「最後に夫の手は痙攣していましたが、私の手を握りました。容体が悪化して病室にきた看護師さんが、〝あなたがここにいることは（アレックスさんは）わかっていますよ。泣いていますから〟と言いました。それから夫は息を引き取りました。心臓が止まったのです……」

実はこの日（2021年5月26日）は、VTAにとって最良の日となるはずだった。新型コロナの感染拡大でしばらく運休していたバスや電車の通常運行を再開したからである。ところが銃乱射事件が起きたことで、会社と従業員やその家族にとって最悪の日となってしまった。

カリフォルニア州のギャビン・ニューサム知事は、事件現場を視察しこう述べた。

「今日、ひどい事件が起きました。VTAの皆様にお悔やみとお見舞いを申し上げます。ここはアメリカです。それなのに世界の他の地域で経験したことのないことを経験しています。悲劇が繰り返され、私たちは無力感にとらわれています。アメリカで何が起こっているのか、私たちの何が問題なのか、いつ武器を置くのか。文字通り、そして象徴的な意味においてもです」

それからニューサム知事は、「この事件を単なる銃撃事件の一つに終わらせたくない。意味のあるものにしなければならない」と語り、有効な銃暴力防止対策に取り組む決意を示した。

カリフォルニア州は全ての銃購入者の身元調査を義務づけるなど50州の中では比較的厳しい銃規制を実施しているが、それでもこの事件を防ぐことができなかった。悔やまれるのは前述したように、犯人の職場に対する強い憎しみなどの危険な兆候が見られた段階で、銃所持の制限などの措置を取れなかったことである。ニューサム知事は事件についてよく精査した上で、州として何ができるのかを考え、防止対策を講じていく必要があろう。

しかしながら、銃規制に関しては一部の州だけ厳しくしても効果は薄い。周辺の州が緩いままだと、そこから違法な銃が流入して犯罪に使われたりするため、国全体で取り組むことが重要である。そのためには連邦レベルの銃規制法の制定が必要だが、それについては第2章で詳しく述べることにしよう。

ニューヨーク州が銃犯罪で「緊急事態宣言」

銃暴力の蔓延は西のカリフォルニア州から東のニューヨーク州にも及んでいる。米国で新型コロナの感染拡大が始まってから二度目の独立記念日（2021年7月4日）の翌日、ニューヨーク州のアンドリュー・クオモ知事は銃暴力犯罪の増加に対処するため、「緊急事態宣言」を発令した。

州政府が銃暴力をめぐって緊急事態宣言を出すのは米国で初めてだったが、クオモ知事は理由をこう説明した。

「最近の数字を見ると、新型コロナウイルスよりも多くの人が銃による暴力や犯罪で亡くなっています。国家的な問題ですが、私たちの将来はそれに依存しているため、誰かがこの問題にステップアップして取り組む必要があります。新型コロナ対策で実践したように、ニューヨークが銃暴力との戦いにおいても国をリードしていきたいと思います」

クオモ知事は2020年3月から5月にかけてニューヨーク州が新型コロナの国内最悪レベルの感染拡大に見舞われた時、すばやく対策を講じて米国メディアからも広く称賛されたが、その経験を銃暴力対策にも活かそうとしたのである。

ニューヨーク州は緊急事態宣言の発令により、1億3870万ドル（約180億3100万円）が銃暴力の介入および銃犯罪防止プログラムに充てられることになった。

プログラムの柱は主に2つ。1つは州保健当局の監督のもとにメンタルヘルスや子供・家族サービス、家庭内暴力防止、犯罪被害者支援などの専門家と州政府機関の関係者による「銃暴力防止タスクフォース」を新たに設置して、彼らの協力を得ながら、州警察当局が州内の銃撃事件データなどをもとに銃犯罪の「ホットスポット（発生率の高い地域）」を特定し、集中的に対策を講じていくというものだ。

これは新型コロナの感染拡大防止対策でクラスター（集団感染）を特定し、流行を封じ込める公衆衛生学的手法を参考にしているが、州内の銃犯罪のホットスポットとしてニューヨーク市、バッファロー市、シラキュース市などが特定され、これらの地域に住む18歳から24歳の若い男性によって引き起こされる銃犯罪が圧倒的に多いことがわかったという。

もう1つの柱は、州内の地域社会から違法な銃を排除することである。

ニューヨーク州はカリフォルニア州と並んで比較的厳しい州法の銃規制を導入しているが、それだけでは銃犯罪を減らすことはできない。前述したように州内で発生する銃犯罪の多くに銃規制の緩い他の州から違法に持ち込まれた銃が使われてしまうからである。実際、ニューヨーク州内の銃関連の犯罪に使用された銃の約4分の3は他州から違法に持ち込まれたものだという。

そのため、クオモ知事は州警察内に「銃器密売防止対策チーム」を結成し、他州の法執行機関とも協力しながら、銃の密売人や購入者の代理人などが州内に銃を持ち込むのを防ぐ対策を始めたのである。

その後、クオモ知事は自身のセクハラ問題で辞任したが、後任のキャシー・ホークル知事（2021年8月就任）によって、このプログラムは引き継がれた。

ホークル知事は2022年1月25日、州外からの違法な銃の流入を防ぐための銃器密売防止対策チームを強化するため、州警察とニューヨーク市警、ATF（アルコール・タバコ・火器及び爆発物取締局）の関係者の他、周辺の9つの州から計50人以上の警察関係者をメンバーに加えると発表した。

ホークル知事がこの対策を強化したのは、州内での銃犯罪の増加に歯止めがかからないことに加え、警察官が撃たれて死亡するケースも多発していたからである。

２０２２年１月21日にはニューヨーク市で２人の若い警察官が犠牲となった。この日の夜、市内のハーレム地区で家庭内暴力の通報があり、３人の警察官が現場に向かった。47歳の男は母親と言い争った後、寝室に閉じこもっていたが、警察官が近づくと発砲してきた。男は半自動小銃の他に40発の銃弾を装填できる改造銃を持っていたという。

犯人の銃で２人の20代の若い警察官が被弾し、１人は現場で息を引き取った。もう１人は救急搬送されたが、病院で亡くなったという。これが銃社会の中で任務を果たさなければならない警察官の悲しい現実であり、２人は朝仕事に出かけたまま帰宅できなくなってしまったのである。事件現場では３人目の警察官が犯人に向けて発砲し、犯人は負傷して病院に運ばれ、その後死亡したという。

その約３週間前に就任したばかりのエリック・アダムス・ニューヨーク市長は事件後、「違法な銃の流入を断ち切らなければならない。ニューヨーク市警は銃暴力犯罪の最前線に立たされています。取り締まりを強化するとともに、地域社会と一丸となって立ち向かっていく必要があります。この問題は公衆衛生上の危機であり、連邦政府も対応すべきです」と訴えた。

アダムス市長はまた、連邦議会にも銃規制法案の可決に向けた迅速な行動を求めた。

過去30年間に起きた大規模な銃乱射事件

　このようにコロナ禍において全米各地で銃暴力が悪化しているが、それ以前はどうだったのだろうか。参考までに過去30数年間（1991年から2022年まで）に、10人以上の死者を出した大規模な銃乱射事件をここに列挙してみよう。

①1991年10月16日、テキサス州キリーンのレストランで男が銃を乱射し、23人が死亡。犯人は自殺した。
②1999年4月20日、コロラド州リトルトンのコロンバイン高校で、男子生徒2人が銃を乱射。生徒12人と教師1人を殺害し、犯人はともに自殺した。
③1999年7月29日、ジョージア州アトランタでデイトレーダーの男が証券会社で銃を乱射。12人を殺害し、13人に重軽傷を負わせた。
④2007年4月16日、バージニア州ブラックスバーグのバージニア工科大学で、韓国出身の学生（23歳）が銃を乱射し32人を殺害、犯人は自殺。これは米国史上最悪の学校銃乱射事件となった。
⑤2009年4月3日、ニューヨーク州ビンガムトンの移民センターで、41歳の男が銃を乱射し13人を殺害、4人に重傷を負わせた。犯人は人質をとって立てこもったが、警官隊や特殊部

隊に包囲され、人質を解放した後に自殺した。
⑥2009年11月5日、テキサス州フォートフッドの陸軍基地で、軍に所属する精神科医の男が銃を乱射し13人を殺害、42人に重軽傷を負わせた。犯人は警察に拘束され、後に死刑判決を受けた。米国の軍事基地内で起きた銃乱射事件としては過去最悪となった。
⑦2012年7月20日、コロラド州オーロラの映画館で「バットマン」シリーズの上映中、27歳の男が銃を乱射。死傷者は12人、負傷者は70人以上にのぼった。
⑧2012年12月14日、コネチカット州ニュータウンのサンディフック小学校で、20歳の男が銃を乱射し、児童20人を含む26人を殺害。犯人は事件直前に母親も殺害し、事件後に自殺した。
⑨2016年6月12日、フロリダ州オーランドにある同性愛者向けのゲイ・ナイトクラブで、精神的に不安定だったという29歳の男が銃を乱射。50人を殺害し、53人に重軽傷を負わせた。
⑩2017年9月1日、ネバダ州ラスベガスで開かれたカントリーミュージックのフェスティバル会場に向けて、近くのホテルの32階の部屋から60代の男が連射可能な自動小銃を乱射し、60人を殺害、500人以上に重軽傷を負わせた。会場には約2万5000人が集まっていたというが、これは被害者の多さで近年の米国最悪の銃乱射事件となった。
⑪2018年2月14日、フロリダ州パークランドのマージョリー・ストーンマン・ダグラス高校で、退学処分となった元生徒が半自動小銃を発砲し、生徒と職員合わせて17人を殺害した。
⑫2019年8月3日、テキサス州エルパソにある小売チェーン「ウォルマート」で、移民排

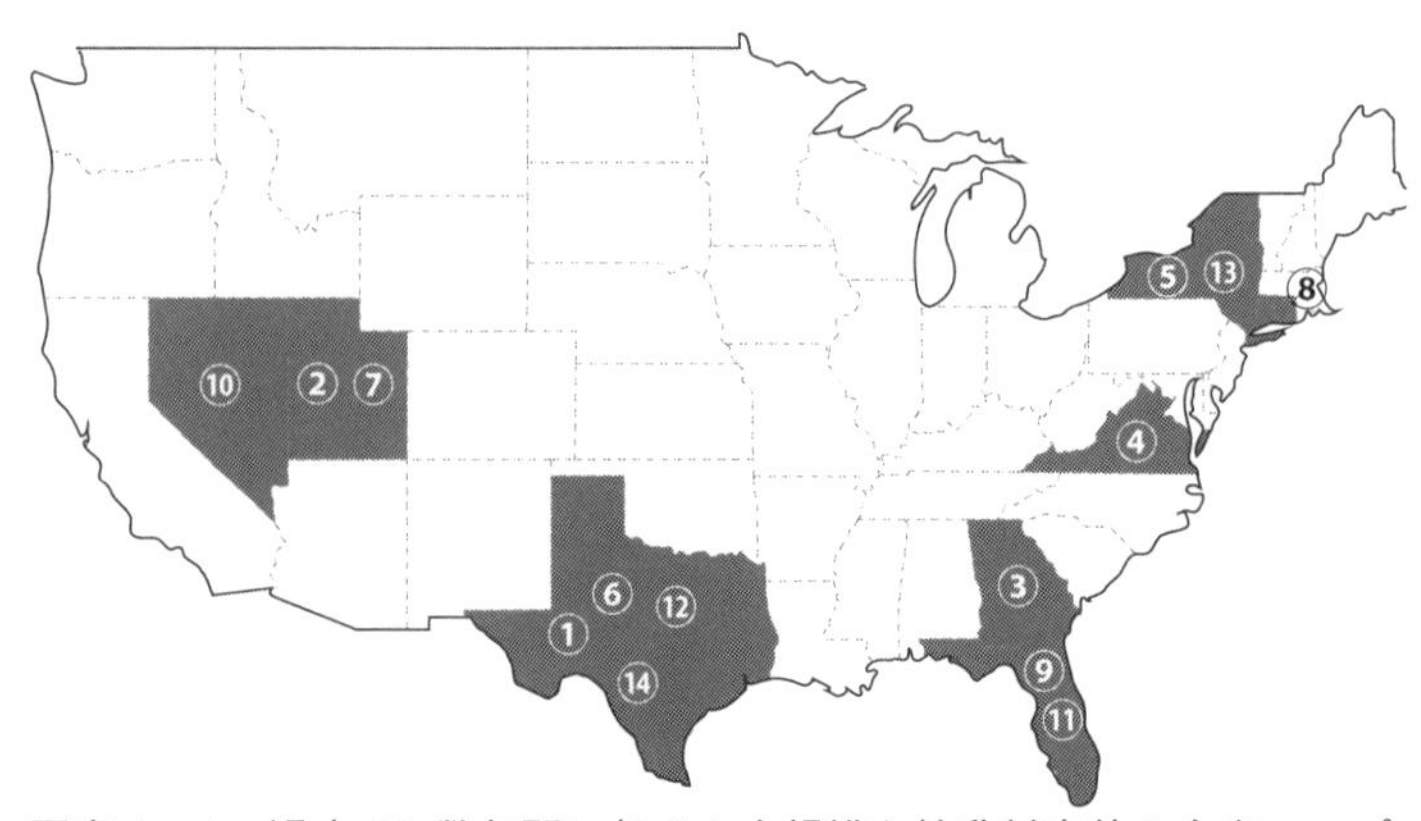

図表１－１　過去30数年間に起きた大規模な銃乱射事件の全米マップ
出所：https://tokyo-teacher.com/article/dj-61-ge/dj-ge-55-map/dj-ge-map-415-us/

斥と白人至上主義に傾倒した21歳の男が買い物客らに向けて半自動小銃を乱射。20人を殺害し、26人に重軽傷を負わせた。

⑬２０２２年5月14日、ニューヨーク州バッファローのスーパーで白人至上主義に傾倒した若い男が半自動小銃を発砲し、10人を殺害した（全員が黒人）。

⑭２０２２年5月24日、テキサス州ユバルディのロブ小学校で、地元の高校を中退した18歳の男が銃を乱射し、９歳から11歳の児童19人と教師２人を殺害した。

銃乱射事件は英語で、〝mass shooting〟というが、それについての統一した定義はない。米国の連邦議会は一度に3人以上が銃で撃たれて死亡したケースを銃乱射事件と定義し、一方、銃暴力に関するデータ収集などを行っているＮＰＯ団体「ガン・バイオレンス・アーカイブ（GVA）」は、一度に4人以上が銃撃されて負傷または死亡したケースをそう呼んでいる。

GVAの調査によれば、銃乱射事件は2021年に693件発生し、2019年の417件、2020年の611件より大幅に増えたという。

それにしても米国ではなぜこれほど多くの銃乱射事件が起きているのか、そしてこの悲惨な状況をなぜ変えることができないのか。それを論じる前に、銃で撃たれた人たちの恐るべき後遺症について考えてみたい。

銃で撃たれた人たちの後遺症と苦悩

銃撃事件の被害者のなかには一瞬にして命を奪われたり、もがき苦しんだ末に亡くなったり、あるいは体の傷は治っても障害が残り、車椅子生活を強いられたりと様々な人がいるが、一つ共通しているのは、彼らの人生は二度と元には戻らないということだ。

私はかつて、銃撃事件の被害者の治療を行っている病院の救急治療室を取材したことがある。1990年代半ば、当時カリフォルニア州サンフランシスコにあるサンフランシスコ総合病院（SFGH）には、銃撃されて血だらけになった患者が年間1500人くらい運ばれてきていたが、そのうち50～60人は遺体袋に入れられて病院の裏口から出ていくと担当医師は話していた。

取材に応じてくれた外科医のジェノ・テレッツ医師によれば、殺傷力の高い弾丸が体内に入ると、花のように開いて内臓や組織、筋肉などをめちゃくちゃに破壊するという。難手術が長時間に及んで出血多量で亡くなる人や、弾丸で骨が破壊され、その破片が内臓に突き刺さって亡くなる人もいたという。

さらに悲惨なのは、弾丸で脊髄などを損傷し、残りの人生を障害者として生きていかなければならない人たちだ。特に10代や20代の若者がそうなった場合は、「死の宣告」に等しかったりする。

私がSFGHを取材した際、市内の犯罪多発地域を歩いていて運悪くギャング集団同士の銃撃戦に巻き込まれ、流れ弾を受けて負傷した17歳の少年ピーターさん（仮名）が運ばれてきた。体内に入った2発の弾丸は手術で取り出すことはできたが、不幸にもその1発が脊髄を直撃したため、腰から下の下半身が完全に麻痺してしまった。つまり、17歳の若さで一生自分の足で歩けなくなったばかりか、セックスもできなくなってしまったのである。

このショッキングな事実を告げられたピーターさんは絶望のどん底に突き落とされ、その後、病院の医師や看護師とも話をしなくなってしまったそうだ。まじめな高校生で成績も良く、名門スタンフォード大学への入学は確実とみられ、ガールフレンドとの関係もうまくいっていた時だっただけに、ショックは計り知れなかったであろう。

その後、彼はガールフレンドとも会おうとしなくなった。それでも彼女はしばらく病院に通い続けたが、ピーターさんの固い拒否にあい、いつしか姿を見せなくなった。学校の同級生や友人たちも下半身不随となった彼に慰めの言葉を見つけられないまま、しだいに離れていった。彼は毎日のように「なぜ、こんなひどい目に遭わなければならないんだ。僕がいったい何をしたっていうんだ。たまたまあの日にあの場所を歩いていただけじゃないか」と自分に問いかけた。

そしてその数週後、彼は「もうこんな体で生きていたくない」という遺書を残して、病室で手首を切って自殺を図った。幸い巡回にきた看護師の発見が早かったので、なんとか命を取り留めた。それから病院はトラウマ専門のカウンセラーの診断を受けさせることにした。彼は自殺未遂の後も医師や看護師に対して、「僕は死にたかったのに余計なことをしてくれた」という態度をとっていたが、しばらくしてカウンセラーに口を開くようになったという。

銃撃のフラッシュバックに苦しむ被害者

ピーターさんのケースとは少し異なるが、当時SFGHに運ばれた被害者には、死の危険に直面した時のフラッシュバックや悪夢に苦しめられるPTSD（心的外傷後ストレス障害）を発症している人も少なくなかった。PTSDの患者は何かをきっかけに銃で撃たれた場面を思い出して恐怖に震え、心臓の鼓動が激しくなったり、呼吸が早まったり、体中に汗をかいたり、吐き気を催したり、情緒不安定になったりと様々な症状が出てくる。したがって彼らには早期対応が重要で、カウンセラーは何が患者に恐怖を与えていくのかを理解し、それから逃れる方法を一緒に考えていくという。

たとえば、家で強盗に撃たれた人は退院しても怖くて家に帰れなかったりするので、最初の数週間は誰かが一緒にいてあげたり、ホテルに宿泊させたり、友人や親戚の家に泊まらせたりする。また、バスの中で撃たれた人は怖くてバスに乗れなかったりするので、タクシーに乗るように勧めるとか、ショッピングセンターで撃たれた人は他の店に行かせたりする。

ＰＴＳＤの専門家によれば、患者がどこで撃たれたかは重要な問題で、しばらくはその現場の近くを通ったり、似たような場所に遭遇したりするだけで、パニック状態に陥ってしまう人もいるという。

また、頻繁に起こるフラッシュバックで、「このまま気が変になってしまうのではないか」と追い詰められてしまう患者もいるが、そのような人には「同じような症状で苦しんでいるのは自分だけではない」と認識してもらうようにする。そうすれば精神的にかなり楽になる。とにかく人によって回復のペースは違うので、時間をかけて治療していくことが大切だという。

銃暴力関連のＰＴＳＤには主に２つの種類がある。１つはこれまで述べたような銃で撃たれた場面のフラッシュバックなどに苦しめられるもので、もう１つは銃撃の後遺症で顔が元に戻らなくなってしまったり、下半身不随になったりしたことの精神的ショックなどが原因で起こるものである。ピーターさんのケースは後者だが、彼はその後、カウンセラーのサポートと本人の懸命な努力が実を結び、なんとか生きる気力を取り戻した。そして学校に戻り、学業のかたわら、銃暴力の防止や銃規制を推進する団体の活動にも参加するようになったという。

ピーターさんが10代、20代の非行少年たちを前に、「あなたたちはこのような生活を続けていたら、いつか銃で撃たれて僕みたいな下半身不随になってしまうかもしれない。僕はもう一生セックスもできないし、普通の結婚もできない。そうなる前に今の生活から抜け出すべきではないか」と声を大にして訴えると、彼らも真剣に耳を傾けるという。

ピーターさんは下半身不随になった自分を嘆くより、そういう自分だからこそできることをしよう、自分が今持っているものを有効に使って有意義な人生にしようと切り替えたのだ。それができたのも、カウンセラーのサポートと本人の懸命な努力があったからである。

銃暴力による驚くべき経済的コスト

これまで述べたように、銃で撃たれた人の多くはその後、悲惨で苦悩に満ちた人生を送ることになる。それでは、銃撃事件の被害者（死亡または負傷を伴う）とその関係者が受ける痛みや苦しみ、経済的損失などを数字にすると、いったいどれくらいの額になるのだろうか。

銃暴力の経済的コストをすべて数字で表すのは難しいが、公開されている医療や銃暴力に関するデータ、政府関連機関の調査結果などをもとに、その額を計算して発表したNPO団体がある。すでに紹介したが、銃暴力の啓発や研究調査、銃規制の推進などを目的に２０１３年に設立された「エブリタウン・フォー・ガン・セーフティ（ＥＦＧＳ）」である。

「すべての地域社会の安全を守るために銃暴力対策の実現を」と訴えるEFGSが2021年に発表した報告書によれば、銃暴力の被害者とその家族や関係者、地域社会などが負担する経済的コストは年間約2800億ドル（約36兆4000億円）にのぼるという。これは米国の退役軍人省（DVA）の年間予算2790億ドル（2020年度）を上回り、また日本の国家予算の約3分の1に相当する驚異的な額だが、EFGSのホームページに掲載された報告書「銃暴力の経済的コスト」をもとにその内訳をみてみよう。

1つ目は被害者の医療費：35億ドル。

これには即時治療およびフォローアップ治療、リハビリ、処方薬などの他、被害者とその家族のメンタルヘルスケア、検視費用などが含まれる。このうち被害者のリハビリやメンタルヘルスケアは数年から数十年、あるいは一生涯続く可能性がある。

2つ目は警察と刑事司法関連の費用：107億ドル。

銃犯罪をめぐる警察の捜査、裁判手続きと審理、検察官と国選弁護人、加害者の収監などの費用である。

3つ目は雇用主が負担する費用：5億ドル。

銃犯罪によって従業員が死亡または負傷した場合に雇用主が被る収益の損失や労働生産性の低下などだが、これには代替労働者の採用関連や教育訓練などの費用も含まれる。

4つ目は被害者と加害者の家族の収入の損失：512億ドル。

銃犯罪の被害者が負傷または死亡したり、加害者が逮捕・収監されたりした場合の家族が失う収入の額だが、特に一家の稼ぎ手がそうなった場合は損失額が大きくなる。

5つ目は生活の質の低下と幸福感の喪失：2142億ドル。

これには銃犯罪の被害者とその家族が受ける痛みや苦しみなどによる生活の質（QOL）の低下やウェルネス（よりよく生きようとする生活態度や心身の健康）の喪失などに加え、銃撃によって命を落としたり、回復不能の障害を負ったりした被害者とその家族が被る損失見込み額も含まれる。

銃暴力の被害者の痛みや苦しみ、生活の質の低下などをコストとして数字で表すのは難しい作業だが、EFGSでは著名な医療経済学者のテッド・ミラー博士（パシフィック調査・評価研究所＝PIRE）の協力を得て、CDCなどの医療機関のデータをもとに銃暴力の経済的影響を調査し、計算したという。

年間2800億ドルという莫大な銃暴力の経済的コストを実際に負担するのは被害者やその家族と関係者、州政府、連邦政府、納税者などだが、そこで興味深いことがわかった。それは、各州のコスト負担額が比較的厳しい銃規制を実施して銃暴力のレベルを低く抑えている州と、銃規制が緩くて銃暴力のレベルが高い州との間で、大きな違いがあることだ（後ほど詳しく述べるが、米国では連邦法の銃規制が弱いため、個々の州で独自に銃規制を実施しているが、その中身は州によって大きく異なる)。

銃規制が厳しい州ほどコスト負担額は少ない

たとえば、図表1-2で示されているように厳しい銃規制を実施しているマサチューセッツ、ロードアイランド、ハワイ、ニューヨーク、ニュージャージー、コネチカットの6州では、住民1人あたりの年間負担額は400ドル未満となっているが、一方、銃規制が緩く銃の死亡者が多いルイジアナ、ミシシッピ、アラバマ、ミズーリの4州では1人当たりの負担額は1600ドルを超え、前者の4倍も高くなっている。特に負担額が最も多いルイジアナ州(1793ドル)と最も少ないマサチューセッツ州(261ドル)を比較すると、ほぼ7対1の割合になっていてわかりやすい。

さらに「1人当たりの銃暴力コストの年間負担額ランキング」で4位のミズーリ州と39位のワシントン州を比較すると、興味深いことがわかる。両州の人口規模はミズーリ州が610万人、ワシントン州が740万人とたいして違わないにもかかわらず、負担額はミズーリ州が98億ドルで、53億ドルのワシントン州の2倍近くになっているのである。EFGSの報告書はその理由として、両州の銃規制の違いを挙げている。

ミズーリ州は銃規制が最も緩い州の1つとされ、銃購入者への身元調査に関する規制がほとんどないうえに、装填済みの銃の公共の場所での携帯が許可されている。一方、ワシントン州

図表1－2　州別の銃暴力コストの住民1人当たりの年間負担額（2020年度）

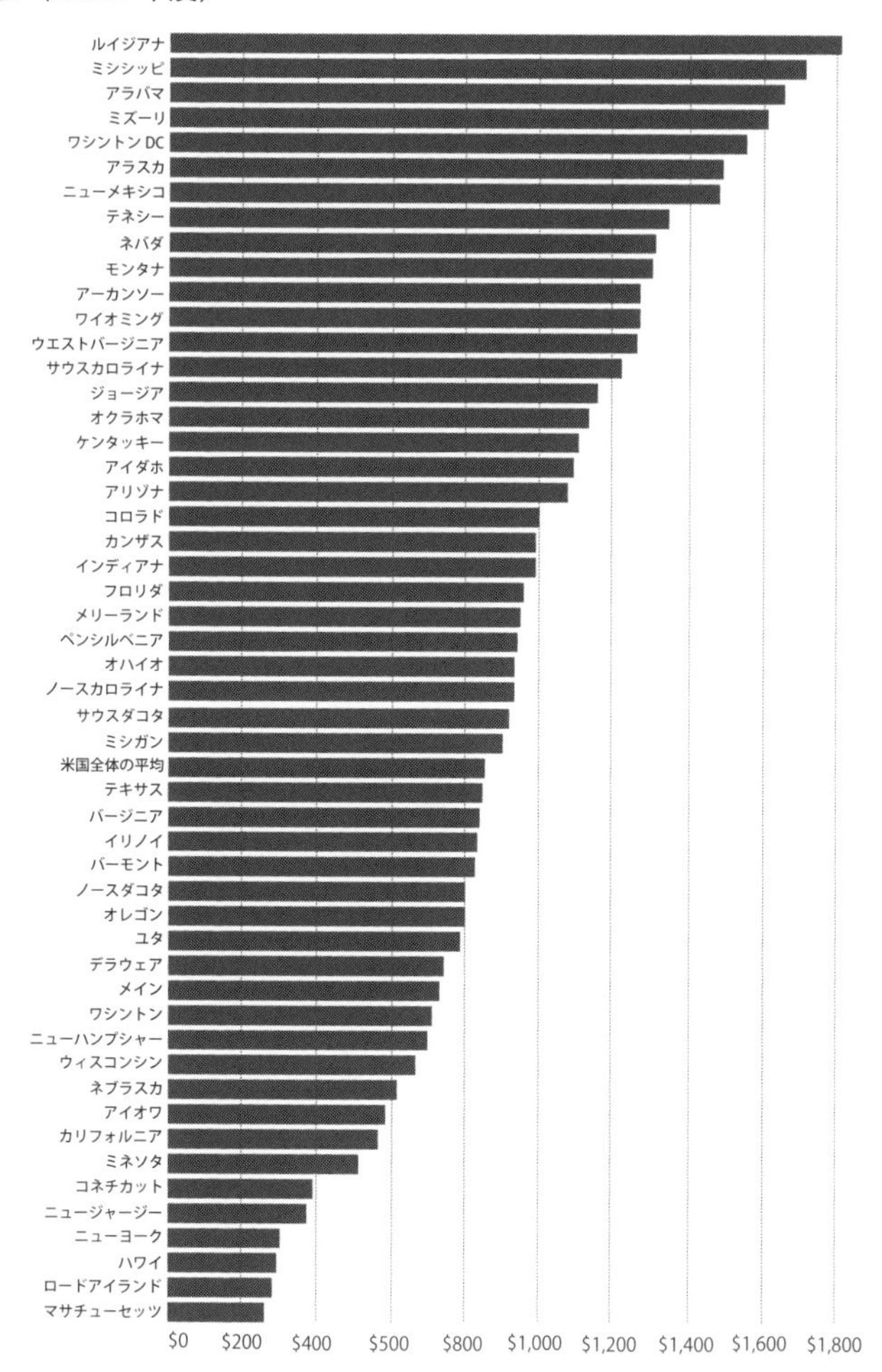

出所：Everytown for Gun Safety

は全ての銃購入者の身元調査の義務付けや、危険な兆候がみられた人の銃の購入や所持を制限・禁止する規制を実施しているという。これまで述べたように、銃乱射事件を起こした犯人の多くが事件前に危険な兆候を示していたことを考えれば、この種の規制を行うことは重要である。

このようにＥＦＧＳの報告書で示された各州の負担額と銃規制との関係をみれば、銃規制が銃暴力の被害を減らすのに有効であることがわかる。しかし、銃規制の賛否をめぐっては民主党と共和党、リベラル派と保守派、バイデン支持者とトランプ支持者などの間で激しい対立があり、米国社会は真っ二つに分断され、銃規制が進まない理由の一つとなっている。

この分断は各州の銃暴力コストの負担額ランキングにも顕著に表れており、負担額の多い上位25州（ワシントンＤＣを除く）のうち18州では２０２０年大統領選でトランプ氏が勝利し、反対に負担額の少ない下位25州のうち18州ではバイデン氏が勝利している（図表４‐１、114頁）。つまり前者の18州は銃規制に消極的な共和党員や保守派、トランプ氏の支持者が多く、逆に後者の18州は銃規制に積極的で民主党員やリベラル派、バイデン支持者が多いということになる。銃問題をめぐる米国社会の分断については、第４章で改めて論じることにしよう。

ＥＦＧＳはこの報告書を作成した目的について、米国政府の政策立案者や地域指導者、銃暴力防止運動の活動家、そしてすべての米国民に銃暴力の驚異的な経済的コストを正しく把握してもらい、銃暴力防止の政策立案に役立ててもらうためだとしているが、はたして米国政府はそれを有効に活用することはできるのか。それはバイデン政権や連邦議会の意思と行動にかかっている。

バイデン大統領も銃暴力対策に乗り出す

バイデン大統領は悲惨な銃乱射事件が起こるたびに、ホワイトハウスで半旗を掲げ、犠牲者を悼む演説を行っている。そして2021年6月30日、大統領は「米国での銃犯罪の急増を野放しにできない」と演説し、違法な銃販売業者の取締り強化と地域社会の犯罪防止活動の支援などを柱とした銃犯罪対策を発表した。

違法業者の取締りに関しては、銃器類の取締りを行う連邦機関のATF（アルコール・タバコ・火器及び爆発物取締局）と各地域の警察署が共同でタスクフォースを立ち上げて業者を追跡し、違法行為が発覚したら、ライセンス剥奪も含めて直ちに罰する方針で臨むという。大統領は違法業者を「死の商人」と呼び、「彼らがお金のために違法に販売した銃が、罪のない人々を殺害するのに使われている」と厳しく非難した。

また、これとは別にバイデン大統領が就任時からずっと取り組んできたのが、「ゴーストガン（幽霊銃）」の取締り強化である。ゴーストガンとはインターネットなどで部品を購入して、自宅で簡単に組み立てられる未登録の銃のことである。構造は簡単だが、威力は普通の銃とほとんど変わらない。しかも購入する際の個人情報や製造番号の登録が不要なため、犯罪に使用されることが多い。ＡＴＦによれば、２０１６～20年までの5年間に2万３０００丁を超えるゴーストガンが殺人事件現場などで見つかったという。

こうした状況のなか、バイデン政権は歴代政権で初めてゴーストガンの規制強化に乗り出した。２０２２年4月1日、大統領はホワイトハウスのローズガーデンに銃規制推進派の人たちを招き、「ゴーストガンの製造・販売を規制するための大統領令を発令する」と発表した。

ゴーストガンは通常、組み立てキットとして販売されシリアルコード（製造番号）もないため、犯罪に使われた場合、所有者の追跡が難しい。そこで大統領令ではゴーストガンの定義を変更し、製造番号をつけることを義務付けた。また組み立てキットや部品を製造・販売する業者は連邦政府から免許を取得し、購入者の身元調査も行わなければならなくなった。これによって違法業者の締め出しと同時に、ゴーストガンが犯罪に使用された場合の追跡も容易になるというわけだ。

しかし問題は、大統領令には限界があり、バイデン政権の後に銃規制に消極的な政権が誕生したら、この行政命令は撤廃されてしまう可能性があることだ。だからこそ連邦法による法制化が必要なのである。

さらにバイデン大統領はゴーストガンの規制に加え、全ての銃購入者の身元調査を義務付ける連邦法の制定をめざしているが、議会共和党の反対でなかなか実現できない。現行の制度でも連邦政府の許可を受けた銃販売業者は、ＦＢＩの全米犯罪歴即時照会システム（ＮＩＣＳ）

を使って銃購入者の犯罪歴などの身元調査を行うことが義務付けられているが、これには抜け穴がある。それは、インターネットやガンショー（銃の見本市）などで販売される銃に関しては、身元調査がほとんど行われていないことである。米国で犯罪に使われる銃の多くがインターネットで購入されている事実を考慮すれば、この抜け穴を埋めることは非常に重要である。

実は民主党が多数を握っていた議会下院では２０２１年3月、インターネット通販やガンショーを含めた全ての銃購入者の身元調査を義務付ける法案を２２７対２０３の賛成多数で可決した。しかし、勢力が50対50と拮抗していた上院では、共和党議員の強い反対で可決に至らなかった。

バイデン大統領は前述のホワイトハウスの会見でも、議会上院に対し改めて銃購入者の身元調査強化法案の可決を促し、「これは政治的な過激主義でも憲法上の問題でもなく、単なる常識の問題なのです」と強調した。

このようにバイデン政権は銃暴力犯罪を減らすための対策に積極的に取り組んでいるが、大統領の権限でできることは限られている。だからこそ連邦議員が超党派で取り組むことが重要なのだが、次章では米国はなぜそれができないのかについて明らかにする。

第2章

なぜ常識的な銃規制を実施できないのか

小学校での惨劇が連邦議員たちを動かした

序章でも述べたように、米国で連邦レベルの銃規制法を制定することが非常に難しい要因として、国民の銃所持の権利を保障した憲法修正第2条と「全米ライフル協会（NRA）」の存在が大きい。

このような状況のなか、2022年5月24日にテキサス州ユバルディの小学校で起きた痛ましい銃乱射事件は、連邦議員たちを28年ぶりに銃規制法案の超党派協議に向かわせるきっかけとなった。

それは小学生が夏休みを目前にした学期の授業を受けていた教室での惨劇だった。午前11時半過ぎ、ロブ小学校で男が殺傷力の高い半自動小銃を乱射し、9歳から11歳の児童19人と教師2人を殺害したのである。

地元の高校を中退した犯人（サルバドール・ラモス）はその約1週間前に18歳になったばかりで、誕生日の翌日に銃を購入し、事件を起こした。彼は小学校を襲う前に同居していた祖母の顔を撃って重傷を負わせ、「祖母を撃った」「これから小学校で銃撃する」と、SNSに投稿していた。彼の母親は息子のキレやすい性格と過剰な攻撃性を心配していたというが、問題は、彼のような危険な兆候のあった人物でも合法的に殺傷力の高い半自動小銃を購入できてしまう米国の銃規制の緩さにある。

ユバルディはテキサス州の中心都市サンアントニオのおよそ140キロ西にある人口約1万6000人の小さな町だが、学校から事件の通報を受け、地元の警察やFBI（連邦捜査局）、国境警備隊などが現場に駆けつけた。捜査当局によれば、犯人は戦闘員のような出で立ちで学校の裏口から侵入し、2本の廊下を通って教室に入り、銃を乱射。21人の命を奪ったあげく、国境警備隊員に射殺されたという。

その時、学校内には1年生から4年生の児童約600人がいたが、銃声が鳴り響く中、子供たちは教室の窓から這うようにして外へ避難した。無事に脱出した子供たちは近くの市民センターで親との再会を果たしたが、一方で子供と再会できない親もいた。子供の遺体の損傷が激しく見分けがつかないため、身元確認のためにDNAサンプルの提出を求められた親もいたそうだ。小学校の教室がまるで戦場のような状況になっていたことがわかる。

負傷した子供たちが運び込まれた小児科医院では床や廊下が血だらけとなり、医師や看護師らが患者の治療に追われた。

この医院で何百人もの地元の子供たちを診てきたというロイ・ゲレロ医師は事件の2日後、「PBSニュースアワー」の番組でこう話した。

「最初にまさか自分の患者か？　と思いましたが、そうでした。1人だけでなく、2人、3人と増えていき、5人を数えました。生まれた時からずっと知っている子供たちです」

「これまで見た中で最も恐ろしい光景だったと思います。誰だか見分けがつかない状態で、顔と頭の大部分がなくなっていました。でも、顔面を布で覆うと、少年だったことがわかりました。シャツと靴にアニメのキャラクターがついていました。学校でごく普通の一日を過ごしていた小さな子供です。その子を見た時が一番つらかったです」

ゲレロ医師によれば、患者の中に11歳の女の子がいたが、その子は先生や同級生を撃った犯人がまた教室に戻ってくると思い、床に流れた血を自分の顔や体になすりつけ、死んだふりをして遺体のそばにじっと横たわっていたという。医師は、「10歳、11歳の子供がよくもまあ、そんなことを……」と言葉を詰まらせた。

それからゲレロ医師は、「殺された子供たちのなかで、特にアメリ・ジョーガルタさんのことが印象に残っています」と続けた。

「生まれた時からずっと知っています。成長する姿を見守ってきたのに、突然いなくなってしまった。（犯人は）なぜこんなことをしたのか理解できませんが、起きてしまったことです。何をしても、もう取り返しがつきません」

10歳になったばかりのアメリさんはその日、学校で成績優秀者として表彰され、夜はお祝いに家族みんなでアイスクリームを食べることになっていたそうだ。

彼女の父親は、「生き生きとしていて、いつも笑顔で、積極的な子でした。リーダーシップがあり、何をどうやりたいかはっきりした考えを持っていました。娘と一緒に釣りに行った時の動画は、今となっては宝物です」と話した。

殺傷力の高い銃を使って幼い子供たちの顔や頭を吹き飛ばすという残虐な事件は全米を震撼させ、その結果、銃規制強化を求める声が高まった。

バイデン大統領はユバルディで遺族と面会した後、ワシントンに戻り、連邦議会に協力を求め、「理性ある共和党議員が交渉に応じることを望みます。彼らもこのままではいけないとわかっているはずです。私は大統領令を出すことはできますが、これで銃の販売を禁止することはできません」と述べた。

それから銃規制に積極的な民主党のクリス・マーフィー上院議員が議場で演説し、同僚議員に強い口調で呼びかけた。

「いったい我々は何をしているのでしょうか。子供たちは恐怖を感じながら生きています。学校に行くたびに、次は自分かもしれないと思っているのです。こんなことが起きるのは米国だけです。しかもそれは我々が選んで、子供たちにそうさせているのです。我々は何をしているのでしょうか……」

マーフィー議員の地元コネチカット州ニュータウンでは２０１２年12月14日、サンディフック小学校で児童20人を含む26人が殺害される銃乱射事件が起こった。それ以来、マーフィー議員は銃暴力の撲滅を議員としての使命とし、銃規制推進に取り組んでいる。

28年ぶりの銃規制法の中身は全く不十分

共和党上院トップのマコネル院内総務は、ロブ小学校の事件の直後は「銃規制の法制化は求めない」としていたが、その社会的影響の大きさと世論の高まりを考慮したのか、テキサス州選出のコーニン上院議員らに民主党と銃規制について話し合うように指示した。

そして民主党と共和党それぞれ10人の上院議員による超党派協議が始まった。焦点となったのは主に3つである。

・全ての銃購入者の犯罪歴や精神障害歴などの身元調査の厳格化。

・危険とみなされた人物から法執行機関が銃を一時的に押収するのを可能にする「レッドフラッグ(危険信号)法」。

・殺傷力の高い半自動小銃などの販売禁止、それが無理なら購入可能年齢の18歳から21歳への引き上げ。

この3つを含む銃規制法案は、民主党が多数を占める下院ではすんなりと6月8日に可決された。しかし、両党の勢力が50対50と拮抗し、しかも議事妨害回避のため、法案可決に共和党議員10人の賛成が必要な上院では協議は難航。結局、民主党側が大きく譲歩するかたちで、6月12日になんとか合意に達することができた。

その内容は、21歳未満の銃購入者の問題行動の履歴の確認などを含む身元調査の厳格化。危険とみなされた人物の銃を一時的に押収できるように州政府を支援するレッドフラッグ法、学校の警備強化とメンタルヘルス（精神衛生）問題への対応などである。

合意内容にレッドフラッグ法が入ったことは、ロブ小学校を含め多くの銃乱射事件の犯人が事前に犯行予告や周囲の人たちへの脅迫などの危険な兆候を示していたことを考えれば評価できる。しかし、民主党が強く求めていた全ての銃購入者を対象とした身元調査の厳格化は21歳未満に限定され、21歳以上の成人が含まれなかったのは残念である。

たしかにロブ小学校の事件やその10日前に起きたニューヨーク州バッファローのスーパーでの銃乱射事件の犯人は18歳だったが、銃撃事件全体をみれば、21歳以上の人物によって起こされるケースの方が圧倒的に多い。従って、この身元調査の効果はかなり限定的なものになりそうだ。

さらに多くの民主党議員やバイデン大統領にとって不満だったのは、殺傷力の高い半自動小銃の規制が「共和党議員の十分な賛成が得られない」として、販売禁止だけでなく購入可能年齢の引き上げも除外されてしまったことだ。半自動小銃の規制に効果があることは過去に実証されているにもかかわらず、である。

上院議員だった頃から30年以上にわたり銃規制推進に努めてきたバイデン大統領は、2022年6月2日、議会に銃規制を呼びかける演説の中でこう述べた。

「1994年に議会で超党派の支持を得て可決した殺傷力の高い銃と大容量弾倉の禁止法を

もう一度復活させるべきです。AK－47やAR－15のような半自動小銃など19種類の攻撃用銃の禁止が含まれていました。この法律が施行されていた10年間は銃乱射事件が減っていたのです。しかし２００４年に失効し、これらの銃が販売されると、その後、銃乱射事件は３倍に増えました。これは事実です」

「充填できる弾数を制限するべきです。いったいなぜ、普通の市民が30発入りの弾倉のある殺傷力が高い銃を購入できるのでしょうか。乱射事件を起こす者は数分間に何百発も撃つことができるのです。ユバルディでは遺体の損傷があまりにも激しかったため、９歳や10歳の子供の身元特定のために、親はＤＮＡの提供を余儀なくされました。もうたくさんです。厳格な購入の審査をして、犯罪者や法の規制下にある者の手に銃が渡らないようにするべきです」

この１９９４年に制定された半自動小銃などの製造・販売を禁止した「攻撃用銃禁止法（ＡＷＢ）」については、後ほど詳しく説明する。

上院での超党派の協議を主導した民主党のマーフィー議員は当初、「私としては半自動小銃などの攻撃用銃を禁止したい。銃乱射事件を減らす一番良い方法だと思いますから」と話していたが、一方で、「話し合いを続ける中でなんとか折り合いをつけるところを探りたい。完璧を求めるあまり、何もまとまらないということは避けたいと思います」とも述べていた。

マーフィー議員がそう言ったのは、民主党にとって２０１２年のサンディフック小学校の銃乱射事件の後の苦い経験があったからであろう。当時、オバマ大統領と民主党議員が主導して、この事件で使われた半自動小銃などを禁止する法案可決にあと一歩のところまでいったが、最後に共和党議員の反対などで否決されてしまった。この時の失敗を繰り返さないために、民主党側は大幅な譲歩を受け入れながらも何とか合意にこぎつけたのである。

バイデン大統領は合意について、「私が必要と考える対策の全てを満たすものではない」としながらも、「正しい方向に向けた重要な進展をもたらすものだ」として法案に署名した。つまり、その中身は不十分だが、28年ぶりに連邦銃規制法を成立させるのは今後に向けて大きな意味があるということだ。

それにしても米国ではなぜ、バイデン大統領らが提案する「常識的な銃規制」を実施することがこれほど難しいのだろうか。共和党議員の多くが殺傷力の高い半自動小銃の禁止はおろか、購入可能年齢の引き上げについても「18歳から20歳の人たちの銃所持の権利が侵害される」として反対したのである。

この状況を理解するには、米国民の銃所持の権利を保障しているとされる「憲法修正第2条（以下、修正第2条）」と、それを錦の御旗にして連邦議員（主に共和党の）に強力なロビー活動を行っている「全米ライフル協会（NRA）」の実態についてよく知る必要がある。

憲法修正第2条と全米ライフル協会の問題

憲法修正第2条の規定は「規律あるミリシア（民兵）の結成は、自由な国家の安全にとって必要であるから、国民が武器を所有し、携帯する権利はこれを侵してはならない」となっている。しかし、もしこれが国民の銃所持の権利を無制限に認めたものではないとすれば、銃所持の正当性が揺らいでくる。

問題となるのは「ミリシア（民兵）」をどう解釈するかだが、これは今から約250年前の建国時代にボストンやニューヨークなどあちこちで結成され、イギリスとの独立戦争で活躍した組織のことだ。必要な時に結成されるミリシアはその後も緊急時の救助隊や国境警備隊などとして重要な役割を果たしてきた。しかし、1916年に制定された国家防衛法（NDA）によって、ミリシアは各州の防衛軍（州軍）として、「ナショナルガード（州兵）」と呼ばれるようになった。州兵は州軍に入隊すると数カ月間の集中訓練を受けるが、その後は緊急時を除いて毎月2日間、あるいは年間14日間の軍務が義務付けられるだけなので、多くは他の仕事を続けながら軍務を遂行しているという。

そこで約250年前にできた修正第2条の規定を現在の状況に当てはめて考えてみると、武器を所持する権利はミリシア（現在の州兵）に与えられたもので、全ての国民に無制限に与えられたものではないという解釈も可能となる。

いずれにしても建国時代に作られた修正第2条は表現が曖昧なため、その解釈をめぐって法律専門家や連邦最高裁判事などの間でも意見が分かれている。

たとえば、2008年6月26日、連邦最高裁は銃規制の是非をめぐる裁判で「個人が銃を持つ権利は修正第2条によって保障されている」として、自宅での拳銃所持を禁止したワシントンDCの銃規制を違憲とする判断を下した。しかし裁判では、判事9人のうち5人はこれに賛成したが、他の4人は「銃暴力の被害を少なくするために政府が住民の拳銃所持を禁止するのは、必ずしも違憲とは言えない」として反対した。

この時に反対意見を表明したジョン・ポール・スティーブンス判事は2010年に退任したが、その後も2019年に亡くなるまで銃所持の権利と銃規制の是非をめぐる問題について積極的に発言し続けた。

2018年2月14日、フロリダ州パークランドのマージョリー・ストーンマン・ダグラス高校で生徒と教職員17人が射殺される事件が起きた後、高校生たちが「もうたくさんだ！」と立ち上がり、銃規制強化を求める抗議デモを各地で展開した際、スティーブンス元判事は彼らの運動を応援する内容の記事をニューヨーク・タイムズ紙（2018年3月27日付）に寄稿した。

その中でスティーブンス氏は、「先週土曜日にワシントンDCなど全米の大都市で生徒・児童らとその支持勢力が示した市民参加は、私の生涯で稀にみるものだ」と述べ、「デモ参加者は一部の銃の販売禁止や銃購入可能年齢の引き上げだけでなく、憲法修正第2条の廃止を要求するべきだ」と主張。また、2008年のワシントンDCの銃規制を違憲とした判断に反対したことについてもふれ、「10年経った現在も、あの判決は誤りであるとの見解に変わりはない。全米ライフル協会はあの判決によって、〝強力なプロパガンダ〟の武器を得た」と述べた。

このように修正第2条の解釈については意見が分かれているにもかかわらず、銃規制を妨げるもう一つの存在であるNRAは、一方の意見を無視し、全ての国民の銃所持の権利は保障されていると強硬に主張する。

「米国最強のロビー団体」と呼ばれるNRAとは、いったいどのような組織なのか。

NRAは1871年に南北戦争の退役軍人によって、ライフル射撃の促進と奨励を目的としたレクリエーション協会としてニューヨークに設立された。現在のような政府の銃政策に影響を与える強力なロビー活動を行うようになったのは、1975年にロビー活動専門の部署「立法活動委員会（ILA）」が設置されてからのことだ。

彼らの強さの秘密は、一般市民や警察官、退役軍人などを含む約500万人の会員の銃所持の権利を守ろうとする凄まじい情熱と団結力、豊富な資金力などにある。

NRAは2020年に約2億5000万ドル（約325億円）の予算を費やしたが、その額は米国内にあるすべての銃規制推進団体の支出を合わせた額を上回った。また、その年はロビー活動などに約3000万ドル（約3億9000万円）を費やした。しかしそれは公式に発表された献金額のみで、実際はかなりの額がNRA独自のルートを介して費やされたとみられるが、その追跡は困難だという（BBCニュース、2022年5月27日より）。

NRAの会員にはニクソン、レーガン、ブッシュ（父）など共和党の歴代大統領に加え、チャールトン・ヘストン、ケビン・コスナー、スーザン・ハワードなどのハリウッドの有名スターが名を連ね、協会のイメージアップに貢献している。

特にチャールトン・ヘストンは1998年6月から2003年3月まで会長を務め、NRAが発行している会員や銃所有者向けの雑誌『アメリカン・ライフルマン』や『アメリカン・ハンター』に登場したり、年次総会で挑発的な演説をしたりして注目された。1999年4月のコロンバイン高校乱射事件の後、銃規制を求める機運が高まる中で行われたNRA総会で演説したヘストン会長は、銃規制推進派に対し「私の冷たく死んだ手から、銃を奪い取ってみろ！」と言い放ったのは有名である。

銃規制に賛成する議員を落選させる戦略

NRAの一般会員の情熱と団結力、著名な会員の影響力、豊富な資金力などには定評があるが、これらの力を結集して連邦議員へのロビー活動戦略を立てているのがILAである。

ILAは連邦議員の銃所持の権利に対する考えや銃規制法案への投票結果などをもとに、個々に「A」から「F」で評価し、「格付けランキング」として公表している。そしてそれをもとに評価の高い議員（主に共和党）には多額の献金をし、一方、評価の低い議員（主に民主党）は次の選挙で落選させるために、会員やボランティアを動員してネガティブ・キャンペーンの総攻撃を仕掛ける。

私は１９９０年代にＮＲＡを取材したが、とにかくこのキャンペーンは凄まじかった。選挙で落選させると決めた議員の地元選挙区でＮＲＡの会員やボランティアを集め、「銃規制法案に賛成しないように」「銃所持の権利を推進するように」とお願いする手紙やファックス（当時は電子メールよりファックスが普及していた）を送ったり、電話をかけたりするのだが、これが半端ではない。議員の事務所に段ボール箱いっぱいになるくらい届けられたり、「なぜ銃規制に賛成するのか」「憲法違反で、有権者への裏切り行為ではないのか」などの抗議電話が鳴り響いたりすることもあるのだ。

一方で、銃規制に賛成する有権者の声も届くが、反対や抗議の声が圧倒的に多いため、議員の多くは、次の選挙のことを考えると銃規制法案に賛成できなくなってしまう。こうしてＮＲＡは、これまで連邦議会に提出された銃規制法案のほとんどをつぶしてきたのである。

このような状況の中で、ＮＲＡに真っ向から立ち向かい、連邦銃規制法を成立させた数少ない政治家がいた。民主党のビル・クリントン元大統領である。

クリントン政権は１９９３年11月、拳銃を購入する際に５日間の待機期間を設けて、購入者の犯罪歴や精神障害歴などを調査する「ブレイディ法」を成立させた。これが施行された最初の１年間に全米で約４万件の違法な拳銃の購入が阻止されたとの調査結果も出て、一定の効果が実証された。続いて94年9月には、殺傷力の高い19種類の半自動小銃や短機関銃などの攻撃用銃（アサルト・ウェポン）の製造・販売を禁止した「攻撃用銃禁止法（ＡＷＢ）」も成立させた。

一方、２つの連邦銃規制法の成立という「敗北」を喫したＮＲＡはその後、クリントン政権と民主党議員に対する凄まじいまでの「復讐」に打って出た。１９９４年11月の中間選挙で、銃規制法案に賛成した民主党候補を狙い撃ちし、上下両院を含め30人以上を落選させたのだ。そのなかには下院議長を務めたトーマス・フォーリー議員などの民主党重鎮も含まれ、ＮＲＡの落選キャンペーンの凄さを見せつけた。

それからＮＲＡはブレイディ法と攻撃用銃禁止法（それぞれ5年、10年の時限立法だった）を失効させるためのロビー活動にも力を入れた。そして民主党が議会で更新させるための十分な賛成票を得られないようにして、ブレイディ法を１９９８年に、攻撃用銃禁止法を２００４年に失効させたのである。

毎分１００発程度の発砲が可能な半自動小銃は「大量殺戮のための武器」とも呼ばれ、先述したテキサス州ユバルディの小学校を含め、最近の銃乱射事件の多くにこの銃が使用されているが、もし94年の攻撃用銃禁止法がずっと継続して施行されていたら、これらの事件の多くは防止できたか、あるいは被害をもっと少なくできていたかもしれない。

バイデン大統領は前述の演説で、「攻撃用銃禁止法が施行されていた94年からの10年間、銃乱射事件は減少し、それが失効した後に増え始めた」と述べていた。だからこそ大統領は28年ぶりに成立した銃規制法に半自動小銃の禁止を盛り込みたかったのだが、共和党議員の反対でそれができなかったのである。

トランプ前大統領もライフル協会に屈服

傍若無人ぶりで知られるトランプ前大統領だが、実は過去にNRAに屈服したと思われる行動を取ったことがある。2018年2月14日のバレンタインデー、フロリダ州パークランドのマージョリー・ストーンマン・ダグラス高校（以下、MSD高校）で起きた銃乱射事件の後のことだ。

この学校から退学処分を受けた19歳の男がキャンパスに侵入し、逃げまどう生徒や教師に向けて半自動小銃を発砲し17人を射殺した事件だが、当時大統領だったトランプ氏は犠牲者の遺族や生存者らと面会した。同級生が銃で撃たれて次々死んでいく恐ろしい光景を目の当たりにした高校生の生存者や犠牲者の遺族らは前大統領に対し、このタイプの銃の購入年齢の引き上げと、全ての銃購入者の身元調査の厳格化などを含む銃規制強化策を求め、トランプ氏もそれに取り組むことを約束した。

この面会の後、トランプ前大統領は記者団にNRAについて問われ、「みんなNRAを怖がっているが、私はまったく怖くない。NRAの指導者は愛国的だと思うが、時にはNRAと対峙するのは構わない」と威勢よく言い放った。ところがその約1週間後、NRAのウェイン・ラピエール会長と面談したトランプ氏は、遺族らとの約束をいとも簡単に撤回し、逆にNRAが提案している「教師の武装化（教師に銃を持たせて学校を安全にする）」を進めると言い出した。トランプ氏はわずか1週間前に「NRAに立ち向かう」と宣言していたが、結局、NRAに屈服する形となったのである。

この事件で同級生を失ったMSD高校の生徒たちはこれに落胆し、「もはや大人には任せておけない」と立ち上がり、銃規制強化を求める集会や抗議活動を始めた。すると、これに呼応するように全米各地で同世代の高校生などが集会や抗議活動を始め、大人たちも巻き込んで大きな運動へと発展した。

MSD高校の事件から1カ月後の3月14日にはフロリダ州からニューヨーク、コロラド、カリフォルニアまで全米3000以上の高校で生徒が授業を休んで、銃規制強化を求める集会などを行った。首都ワシントンでは数千人がホワイトハウスの前で、17分間の黙祷をささげた（亡くなった17人に1分ずつ捧げるという意味で）。それから生徒たちは連邦議会議事堂の前へと移動し、議員たちに行動を求めた。

生徒の代表が、「大人は私たちを守ってくれません。ですから自分たちで守ります。邪魔する議員は選挙で落選させます」と決意を述べた。NRAはこれまで銃規制に賛成する議員を落選させる戦略によって銃規制法案をつぶしてきたが、これに対し、若者たちは「銃規制に反対する議員を落選させる」と宣言した。これはＮＲＡに対する真っ向からの挑戦である。

同時に若者たちは政府の銃政策に影響を与えるための全国組織「マーチ・フォー・アワー・ライブズ（ＭＦＯＬ）」を結成し、現在も活動を続けているが、その詳細については終章の「銃問題の解決に向けた新たな可能性」の中で改めて述べることにしよう。

教師に銃を持たせても乱射事件は防げない

話をＮＲＡとトランプ前大統領が提案している教師の武装化に戻すが、これには多くの教師が反対している。

ＭＳＤ高校の乱射事件で多くの生徒を教室に匿ったという女性教師のアッシュリー・クスさんは事件後、ＡＢＣテレビの政治討論番組「ジス・ウィーク」に出演し、こう話した。

「教師が学校に銃を持ち込むのは非常に危険です。もし何かのきっかけで、私が銃を隠し持っていることがわかったら、どうなるでしょう。別の場所に鍵をかけて保管していたとしても、生徒が見つけ出すかもしれません。私には7歳の息子がいますが、誰かが銃を持っているような学校に子供を送るのはとても心配です」

また、公立学校の教師ら約３００万人の会員を有する「全米教育協会（ＮＥＡ）」のベッキー・ブリングル副会長も、「教師に銃を持たせるのは現実的な解決策ではない。学校はより危険になり、銃撃事件が増え、恐怖が高まることを懸念します」と強く反対した。

それでもトランプ前大統領は「教師が銃で防戦すれば、乱射事件はたちまち終わるかもしれない」と考えを変えなかった。

アイルランドの元陸軍将校で、安全対策の専門家としてダブリン工科大学大学院で教鞭を執った経験を持つトム・クロナン博士は米国メディアの取材で、トランプ氏の考えに疑問を呈した。

「教師が銃をガンロッカーから取り出してロックを解除し、校内を動き回る銃撃犯を見つけて狙いを定めるまでに少なくとも数分かかる。フロリダの事件の犯人はわずか6分の間に17人を殺した。従って、いくら教師に射撃訓練をして銃を持たせても、殺傷力の高い銃を持った犯人による乱射事件を防ぐのは非常に難しいと思います」

クロナン博士によると、学校の銃乱射事件を防ぐ（あるいは犠牲者を減らす）ために考えられる解決策は、大勢の重武装した警察官を現場に動員して対峙させることだが、問題はそれでも間に合わないかもしれないということだ。博士によれば、誰でも簡単に半自動小銃などの攻撃用銃が購入できる状況を変えない限り、学校銃乱射による大量殺人事件を防ぐのは難しいだろうという。繰り返しになるが、だからこそ半自動小銃などの禁止が必要なのだが、それはNRAや共和党の反対で実現することは難しい。

NRAから多額の献金を受け、広告塔のような役割を果たしているトランプ氏は、テキサス州のロブ小学校の乱射事件の数日後、同州内で開催されたNRAの年次総会で講演し、従来の主張を繰り返した。

「これは銃の問題ではなく、メンタルヘルスの問題です。銃を規制するのではなく、学校の安全対策を強化するべきです。教師に銃を持たせることで学校は安全になるのです」

トランプ氏がＮＲＡの主張を支持するのは、献金だけが理由ではなく、自身の強力な支持基盤である共和党の白人保守層の多くがＮＲＡを支持しているため政治的に有利になるという計算もあると思われる。

ちなみにＮＲＡは近年、幹部らによる寄付金の私的流用疑惑などの不祥事が発覚し、影響力が低下しているとの指摘がある。しかし、前述の28年ぶりに成立した銃規制法においても、ＮＲＡの影響を受けた共和党議員の反対によって半自動小銃の規制が盛り込まれなかったことなどを考えれば、その影響力はまだまだ健在であることがわかる。

護身用の銃がいざという時役に立たない理由

ここまでＮＲＡの多大な影響力について述べてきたが、私が最も不思議に思うのは、ＮＲＡの主張には疑問点が少なくないにもかかわらず、なぜ米国人の多くはそれを簡単に信じてしまうのか、ということだ。たとえば、ＮＲＡは「銃を持たなければ自分や家族の安全を守れない」と主張するが。護身用の銃がいざという時あまり役に立たないことは、以前から多くの調査結果や専門家の指摘によって示されている。

エモリー大学の公衆衛生学部の研究チームは1993年10月、「銃を家におくと、殺人の被害に遭う危険性が2・7倍に高まる」との調査結果を発表した。これは研究チームが実際にテネシー、ワシントン、オハイオの3州の人口密集地域の家で起きた殺人事件420件を調査し、家に銃がある場合とない場合を分析した結果である。その理由としては、家に銃があると、強盗などの侵入を防ぐよりも逆に相手に撃たれたり、あるいはその銃で家族や友人、知人などを撃って死亡させたりするケースが多いからだという。

この調査は古いが、護身用の銃を家におくことで逆に危険性が高まることに関しては、その後も状況はあまり変わっていないようだ。

CDCのグローバルヘルス研究室で長年銃暴力の研究調査を続けてきたマーク・ローゼンバーグ博士は、2021年11月2日に報道されたABCニュースの銃暴力に関する特集番組でこう述べている。

「家に銃を置くと、安全にならないだけでなく、その人や家族が銃で命を失うリスクを大幅に高めることになります。それも10%とか20%ではなく、200%も高めるとの調査結果もあります。また、自殺のリスクは400%増え、5倍になります」

米国の自殺者のおよそ3分の2は銃によるものだが、銃で自殺を図った場合、死亡する確率が非常に高いのである。

また、フロリダ州立大学社会学部の研究員のベンジャミン・D・アロー氏も、科学分野の電子ジャーナル『サイエンス・ダイレクト』に掲載された「銃の所有と恐怖」（2019年8月）と題する論文の中で、「家に銃があると、偶発的な発砲による死亡や自殺、女性の殺害などのリスクが著しく高まる」と述べている。

銃による偶発的な事故や殺人は誤射事件とも呼ばれるが、その被害者は毎年数千人にのぼっている。私が1990年代に米国で取材していた時も、誤射事件についての話をいろいろ聞いた。たとえば、母親が用事でちょっと家をあけた間に、7歳の息子が親の寝室の引き出しに隠してあった拳銃を見つけ出しおもちゃのように手に取って遊んでいたところ、ちょうど部屋に入ってきた姉を撃ってしまったケースだ。彼女は病院に運ばれなんとか一命をとりとめたが、下半身不随で二度と歩けない体になってしまったという。他にも学校をサボって家の物置部屋で遊んでいた息子を父親が侵入者と間違えて射殺したり、夜中に二階の寝室で目を覚ました父親が階下で物音がしたのを侵入者と思い込み、トイレに起きた息子を撃ってしまったりと数え上げたらきりがない。

以前取材した銃暴力の被害者支援団体の代表は、護身用の銃がいざという時に役に立たない理由についてこう説明した。

「人は危機的状況で銃を手にすると、よほどの訓練を受けた人でない限り、冷静さを失い、誰に銃を向けているのかさえわからなくなってしまう。だから自分の子供を侵入者と間違えて射殺してしまったりするのです。危機的状況で自分を見失わずに銃を使う訓練を受けていない人が護身用と称して銃を家に置くことほど、危険なことはないのです」

不安や恐怖を抱える人ほど銃を持ちたがる

このように護身用の銃はあまり役に立たないにもかかわらず、米国人の多くがＮＲＡの主張を信じて銃を所持しようとするのは、心の中に強い不安や恐怖を抱えているからではないかと思われる。前述したフロリダ州立大学のアロー氏の論文によれば、不安や恐怖を和らげるために銃を所持する人は少なくないという。それは新型コロナの感染拡大による社会不安の高まりのなか銃の購入が増えた状況をみれば、明らかである。

米国社会にはもともと不安や恐怖を抱えた人が多く、それが銃犯罪の多さにつながっていることは、マイケル・ムーア監督が米国銃社会に鋭く切り込んだドキュメンタリー映画『ボウリング・フォー・コロンバイン』でも明らかにされた。特に人々が抱える不安と恐怖、それを煽る政治家やメディア、そして銃暴力の実態などについて米国とカナダの違いを比較した部分はとても興味深かった。

ムーア監督は持ち前の突撃アポなし取材によって、米国の政治家やメディアが意図的に人々の不安と恐怖を煽る発言や報道を繰り返し、その結果、「自分の住む地域は実際よりずっと危険だ」と思い込み、家に３つも４つも鍵をつけて厳重にし、護身用の銃を持つ人が増えるという実態を明らかにした。一方、カナダでは政治家やメディアが人々に不安や恐怖を詰め込もうとしない。なぜならこの国の治安はそう悪くなく、社会的弱者への医療、社会保障体制も比較的整っているので、人々の不安を煽る必要がないからだという。その結果、カナダでは自宅に鍵をかけない人が多く、護身用を目的に銃を持つ人は少ない。人口当たりの銃所有率は世界的に見ると高い方だが、多くの人は護身用ではなく狩猟や射撃が目的である。実際、カナダの銃による殺人発生率は米国よりはるかに低くなっている。

米国人の多くは銃を持つことで不安を和らげ、安全や安心感を得ようとする。そしてＮＲＡの幹部は「人は銃を持つことで、安心してよく眠れるようになる」と発言している。しかし、護身用の銃がいざという時役に立たないことを考えれば、それは「偽りの安心感」でしかないということになる。

たとえ偽りの安心感であっても、心に不安を抱える米国人は、それを少しでも和らげるために銃の力に頼ろうとする。その結果、米国には約3億3200万人の人口（2021年、国勢調査）よりも多い約4億3300万丁の民間所有の銃があふれている。世界の人口の4％ほどの米国が世界の銃所有数のおよそ40％を占めるという異常な状況にあり、しかも米国の銃の数はどんどん増えている。

諸外国との銃規制と銃暴力の国際比較

2022年6月に非営利組織の外交シンクタンク「外交問題評議会（ＣＦＲ）」が発表し

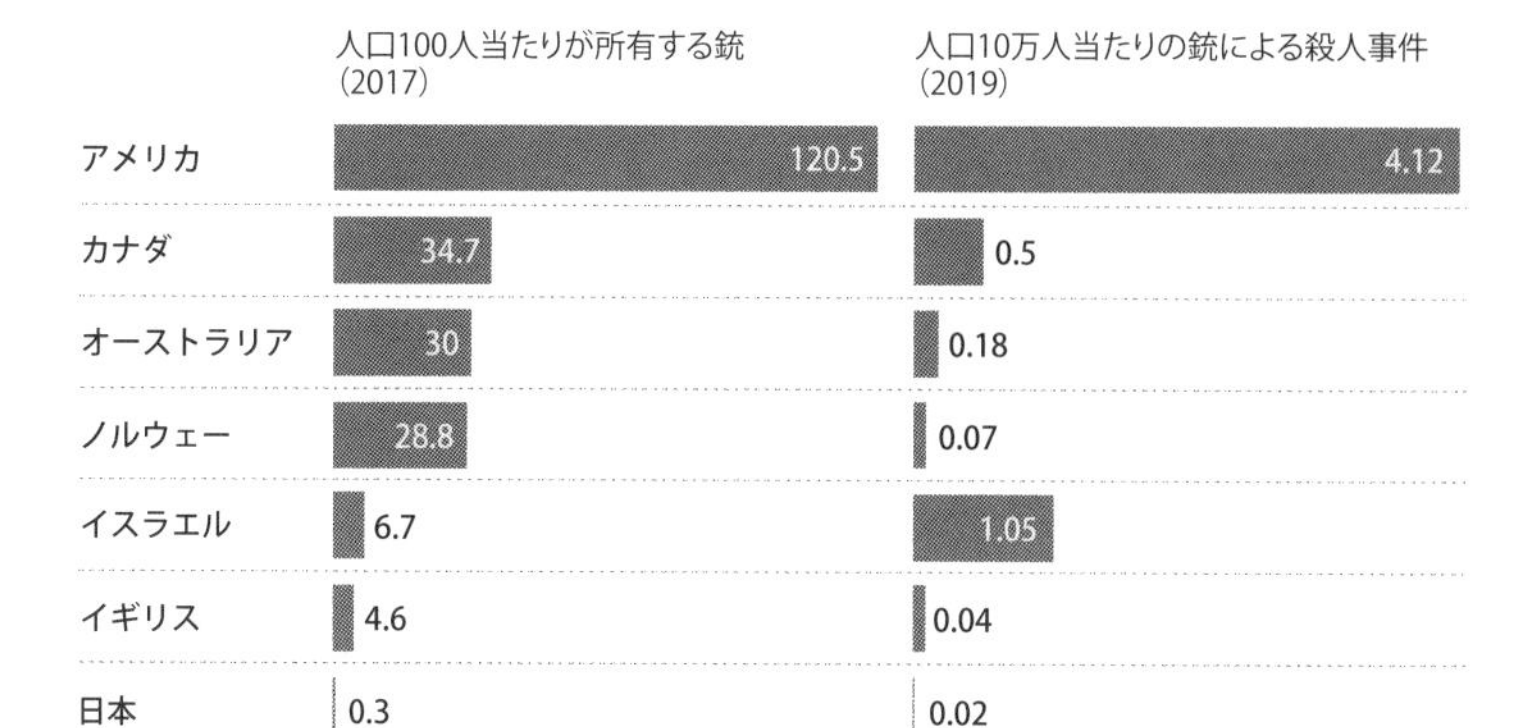

図表２−１　主要国の銃の所有率と殺人発生率
出所：Small Arms Survey;Institute for Health Metrics and Evaluation
https://www.cfr.org/backgrounder/us-gun-policy-global-comparisons

た「主要各国の銃の所有率と殺人発生率ランキング」をみると、銃の所有率が高い国はそれとほぼ比例して銃による殺人発生率も高くなっていることがわかる（図表2−1）。

このランキングで米国は100人当たりの銃の民間所有率が120・5丁と第1位、そして100万人当たりの銃による殺人発生率も4・12人と断トツの1位となっている。NRAは、「殺人事件が起こるのは銃の問題ではなく、人間（精神疾患など）の問題だ」と頑なに主張しているが、銃の所有率と殺人発生率に因果関係があることに疑う余地はないだろう。

米国と他の主要国（カナダ、オーストラリア、ニュージーランド、イギリスなど）との銃政策における決定的な違いは、後者は凶悪な銃撃事件が起きた後、政府が国民の求めに応じて銃規制を強化しているのに対し、米国はNRAや共和党議員の強い反対によってそれができないことである。

それでは、CFRの報告書や米国メディアの報道などを参考にしながら、各国の銃暴力と銃規制強化の実態について説明しよう。

まずは隣国のカナダだが、図表2-1にもあるようにこの国の銃暴力の被害は米国より圧倒的に少なく、人口10万人あたりの銃による殺人発生率は米国の8分の1以下となっている。その大きな理由は、凶悪な銃撃事件が起きた後、政府が素早く行動して銃規制を強化したことである。

1989年12月6日、ケベック州のモントリオール理工科大学で半自動小銃を持った男が14人の学生を射殺し、14人を負傷させたが、この事件の後、カナダ政府は銃購入者に28日の待機期間を課す身元調査の厳格化、軍用銃や大容量弾倉の販売禁止、銃所持者への射撃訓練の義務化などを含む、思い切った銃規制改革を実施した。

その後、カナダでは約30年にわたって銃による大量殺人事件は起こらなかった。ところが、2020年4月18日に東部ノバスコシア州で22人を殺害するカナダ史上最悪の銃乱射事件が起きたことで、ジャスティン・トルドー首相は半自動小銃など攻撃用銃の禁止とこの種の銃の強制的な買戻し（政府が買い上げる）などを含め、さらなる銃規制の強化策を発表した。

オーストラリアも同様に政府が指導力を発揮して銃規制改革に取り組んだ。その転換点となったのは、1996年4月28日、タスマニア島の観光地ポートアーサーで男が半自動小銃を乱射し35人を射殺、15人を負傷させた事件だが、その後の政府の対応は早かった。

当時の保守党主導の政権は各州・準州政府と銃規制改革について協議した上で、半自動小銃など攻撃用銃の禁止、銃所持者の免許取得と登録の義務化などを含む「全国銃器協定（NAF）」という新たな銃規制法を施行した。同時に政府はNAFによって禁止された攻撃用銃を市場から排除するための買戻しプログラムも開始した。この国の銃暴力犯罪の専門家によれば、これらの銃規制改革は銃による大量殺人事件の減少や死亡率の低下に大きな効果をあげているという。

さらにニュージーランドやイギリスでも銃規制強化への転換点となった凶悪な事件がある。ニュージーランドでは2019年3月15日、白人至上主義に傾倒した男がクライストチャーチにあるモスク（イスラム教礼拝所）で半自動小銃を乱射し、50人を殺害するという国内外を震撼させる事件が起きたが、この後、ジャシンダ・アーダーン首相は半自動小銃と大容量弾倉の販売を禁止し、これらの銃を強制的に買い戻す措置も講じた。

イギリスでは1987年8月19日、ロンドン郊外で拳銃と半自動小銃を持った男が発砲し、12人を殺害した。「ハンガーフォードの虐殺」として知られるこの事件の後、英国政府は半自動小銃を禁止し、他の全ての銃の登録要件を強化した。それから1996年3月13日、スコットランドのダンブレーンの初等学校で拳銃4丁を持った男が16人の児童と教師1人を殺害し、犯人は自殺するというイギリス史上最悪の乱射事件が起きたことで、政府は拳銃（極小口径のものを除く）の販売・所持の禁止という欧州で最も厳しい銃規制を導入した。

それが奏功しているのか、イギリスの銃による殺人発生率は米国のおよそ103分の1以下と極めて低く抑えられている（図表2−1）。ちなみにイギリスでは警察官は銃を所持せず、警察と地域住民との信頼関係の構築が徹底されているという。

世界一厳しい日本の銃規制と低い殺人率

CFRの調査ランキングで100人当たりの銃所有率が0・3丁、10万人当たりの銃による殺人発生率が0・02人と非常に低く抑えられている日本は、海外の銃暴力の専門家や銃規制の推進派から一目置かれる存在となっている。

日本では2022年7月8日、安倍晋三元首相が参院選候補者を応援する街頭演説中に銃撃されて死亡するというショッキングな事件が起き、「安全神話」に疑問を投げかける声も出た。しかし、この事件はあくまで特殊なケースだろう。犯行に使用された銃は犯人の手製であり、警察当局の要人警備体制が不十分だったことも指摘されている。日本社会の安全神話が崩れて銃犯罪が増えた結果とは言えない。

警察庁のデータによれば、日本の2021年の銃による死亡者はわずか1人、負傷者は4人となっている（図表2−2）。

発砲事件の発生も年10～20数件ほどで、大多数は暴力団絡みであり、一般の人々にとって銃

年	事件数（うち暴力団関連）	死亡者数	負傷者数
2017	22（13）	3	5
2018	8（4）	2	1
2019	13（10）	4	8
2020	17（14）	4	5
2021	10（8）	1	4

図表２－２　日本の銃器発砲事件の発生状況（2017-2021）
出所：警察庁
https://www.nippon.com/ja/japan-data/h01381/

犯罪は身近なものではない。その最大の理由は、世界で最も厳しいレベルの銃規制を実施しているからではないかと思われる。

日本ではほとんどの銃は違法で、所持できるのは銃刀法（銃砲刀剣類所持等取締法）によって許されているライフル銃、散弾銃、ライフル銃と散弾銃以外の猟銃（ハーフライフル銃とも呼ばれる）、空気銃のみである。

しかもこれらの銃を所持するには、身分証明書の他に医師の診断書（精神障害や麻薬中毒などでないことを証明したもの）、経歴書（職歴、住所歴、銃所持歴、犯罪歴、病歴など）、同居親族書などを役所に提出し、「銃砲所持許可」を取得しなければならない。その有効期間は許可を受けた日から3回目の誕生日までで、その後は3年毎に更新が必要となる。日本が極めて低い銃の所有率と殺人発生率を維持しているのは、このような厳しい銃規制を実施している結果なのである。

こうして主要各国の銃規制の取り組みと銃暴力被害の実態を細かく見てみると、「銃社会」と呼ばれる米国の特殊性、異常性が際立って見えてくる。米国に国内の悲惨な状況を改善する意思があるのであれば、まずは諸外国の銃規制の取り組みと経験に目を向け、そこから何かを学ぶべきだろう。

次章では米国の銃暴力や銃文化（ガンカルチャー）と密接に関係している白人至上主義、さらにはトランプ前大統領との関係について明らかにする。

第3章

銃と白人至上主義とトランプ前大統領

「できるだけ多くの黒人を殺したかった」

米国の銃による暴力は、人種差別的思想の白人至上主義と密接に関係している。全米各地でほぼ日常的に発生している銃乱射事件の犯人の多くは白人男性で、黒人、ヒスパニック、アジア系など有色人種に対する強い差別意識や憎悪感情を持っている者が少なくない。これから述べる事件の犯人は、まさにそれに当てはまる人物である。

2022年5月14日午後2時半頃、ニューヨーク州北部のバッファローにあるスーパー「トップス・フレンドリー」で恐ろしい銃乱射事件が起きた。防弾チョッキと軍用ヘルメットを身に着けて武装した18歳の男が、いきなり殺傷力の高い半自動小銃を撃ち始めたのだ。彼はまず、店の駐車場で居合わせた4人を撃ち、それから店内に入り、逃げまどう大勢の客や店員に向けて発砲を続けた。元警察官だったという黒人男性の警備員が犯人に向けて数回発砲したが、犯人は防弾チョッキを着ていたため無傷で済み、逆に射殺されてしまった。

最初の緊急通報から数分で警察官が現場に到着したが、それまでに犯人は50発以上を発砲し、10人を殺害した。犠牲者全員が黒人だったが、それは偶然ではなく、犯人が黒人を意図的に狙った結果だった。

警察はニューヨーク州ブルーム郡の犯人の自宅を捜索し、両親から事情を聴き、パソコンやソーシャルメディアをくまなく調べた。その結果、犯人が白人至上主義に傾倒し、有色人種や移民が白人の権力や影響力を奪い、白人に取って代わろうとしているという「置き換え理論」を信奉して、「できるだけ多くの黒人を殺したい」という殺人予告とも思える投稿をしていたことがわかった。

驚かされるのは犯人の黒人を殺したいというすさまじい執念と、それを確実に実行するための入念な計画である。男は自宅からわざわざ3時間も車を運転して黒人が多く住む地域にあるスーパーを標的に選び、その数カ月前から計画を練り、犯行の1週間ほど前に現場を下見するという念の入れようだった。また、その近くにあった他の店やレストランなども標的にしていたという。

実は犯人には以前から危険な兆候が見られていたが、法執行機関がそれを見逃してしまったようだ。彼が高校生だった頃、学校に提出した課題レポートの中で、「人を殺して自分も死ぬ」ということを書いていた。そのため学校は警察に通報し、精神鑑定が命じられ、彼は鑑定を受けたが、「ジョークを書いただけだ」と嘘をつき、監視対象から逃れたという。犯人はレポートに書いたように、大量殺人事件を起こした後で自殺を図ったが未遂に終わり、最終的に投降した。

バイデン大統領は事件の翌日、ニューヨーク州バッファローを訪れ、遺族や関係者と1時間以上にわたって面会し、全米に向けた演説で、犠牲者一人ひとりについて気持ちを込めて話した。

「アンドレ・マクニールさんは53歳。レストランで働いていました。3歳の息子にバースデーケーキを買いにスーパーに来ていました。誕生日を迎えた彼の息子は、“Where's Daddy ?”(パパはどこ?)と聞いたそうです……」

それから大統領は、「ここで起きたことは紛れもないテロ行為、国内テロです。容疑者は有色人種が白人に取って代わろうとしているという陰謀論を信じていたということですが、憎しみのために暴力が使われたのです。人種差別主義、白人至上主義は毒です。居場所はありません」と述べ、「一部の政治家やメディアは、政治的な得点稼ぎや利益のために人種差別的な憎悪を煽り立てている」と非難した。

その政治家とは、人種差別的なレトリックを多用し白人至上主義を擁護しているトランプ前大統領と彼を支持している共和党議員たちではないかと思われるが、米国では近年、人種差別にもとづく大規模な銃乱射事件が多発している。

その中でも特にショッキングだったのがこのバッファローの事件と、2019年8月3日、テキサス州エルパソのショッピングセンターにある小売りチェーン「ウォルマート」で起きた事件である。

メキシコ系移民を狙ったエルパソの銃撃犯

その日は土曜日で、ウォルマートの店内は午前中から多くの買い物客で混雑していたが、そこに殺傷力の高い半自動小銃を持った男が現れた。その時、店内には数千人の客と店員がいたが、男が銃撃を始めると、大勢の人が逃げ回り、なかにはテーブルの下に身を隠す人もいたという。駆けつけた救急隊員が負傷者の手当にあたり、遺体を発見した。多くの人が犠牲となり、22人が死亡し、26人が負傷した。

捜査当局の発表では、犯人はパトリック・クルシウス（21歳）という白人男性で、エルパソから車でおよそ10時間もかかる場所からやってきて、何か特別な使命を果たそうとするかのような自信満々の様子で銃を構え、店の正面から入ったという。

事件を起こす前にSNSに犯行声明を出し、「できるだけ多くのメキシコ人を殺す。これは、彼らが大勢でやってきてテキサス州を侵略しようとすることに対する復讐だ」と書かれていたそうだ。

人口約70万人のエルパソはメキシコ系移民の割合が非常に高く、この店はメキシコとの国境から約8キロしか離れていない所にあり、地元住民だけでなく、メキシコ側からも国境を越えて多くの買い物客がやってくる。犯人ができるだけ多くのメキシコ人を殺す目的で、意図的にこの店を選んだのは間違いないだろう。

いつもは平穏で治安もそう悪くなく、殺人事件の被害者は年間20人程度だというが、この日だけでその数に達してしまったことになる。

SNSへの投稿内容から、犯人がメキシコ系移民に対してすさまじい差別意識と憎悪感情を持っていたことは想像できるが、彼が犯行に及んだのは、「トランプ大統領（当時）の人種差別的レトリックの影響もあったのではないか」と指摘する人がいた。

テキサス州エルパソ出身で、2020年大統領選に立候補していたベト・オルーク元下院議員（民主党）は事件後、ABCテレビの政治討論番組「ジス・ウィーク」に出演し、「事件の責任はトランプ大統領にあると思います」と述べ、理由をこう説明した。

「大統領は、〝メキシコからの移民はレイプ犯だ、犯罪者だ〟と叫び、特定の宗教を標的にしてイスラム教徒の入国を禁止し、一方で、自らナチス（アドルフ・ヒトラーの信奉者）や白人至上主義者という人たちを煽り立て、〝立派な人たち〟と称えてきました。大統領が人種差別を容認し促してきた延長線上に、このエルパソの事件があるのです。この3年間、毎日、この国で憎悪が高まっています」

白人至上主義者を擁護し活気づけた前大統領

オルーク氏が指摘したように、トランプ氏は2016年大統領選に立候補した時から、「メキシコ人はレイピスト（強姦魔）で、麻薬密売者で、犯罪者だ」「イスラム教徒はテロリストだ」などと激しく攻撃した。そして大統領に就任後も一貫して反移民・反有色人種の政策を実行し、一方で白人至上主義者を擁護する発言を繰り返した。

特に問題となったのは、2017年8月3日、バージニア州シャーロッツビルで起きたKK

Kやネオナチ（ナチスの思想を信奉し、復興させようとする集団）など白人至上主義団体の集会に反対する地元住民の抗議デモで、反対派の女性1人が死亡し、35人が負傷した事件に対するトランプ前大統領の発言だった。

トランプ氏は事件後、白人至上主義団体を直接非難するのを避け、集会に参加した白人至上主義者の一部を擁護したのだ。これには身内の共和党議員からも「白人至上主義者は嫌悪すべき存在であり、彼らの根強い差別・偏見は我々の国が象徴するものと相容れない」などの批判が相次いだ。

白人の人種的優位性の維持などを主な目的としているKKK（クー・クラックス・クラン）は1865年の設立以来、黒人やユダヤ系などに対する放火、殺人、リンチなどを繰り返してきた恐るべき暴力団体だが、そんな彼らを非難することをトランプ氏は拒否したのである。米国史上初めて白人至上主義者を擁護する大統領が誕生したことで、白人至上主義団体や極右勢力は一気に活気づいた。実際、トランプ政権下では白人至上主義や白人国家主義を標榜するヘイト集団の数が増え、それに伴って移民や有色人種、ユダヤ系などを標的にしたヘイトクライム（憎悪犯罪）が急増した。

ヘイトクライムとは特定の人種、民族、宗教、性的指向などへの偏見、憎悪が原因で起こされる脅迫、嫌がらせ、暴行、殺人などの犯罪だが、連邦捜査局（FBI）が2018年に発表した犯罪統計によると、トランプ政権が誕生した2017年1月〜12月に発生したヘイトクライムは計7175件となり、前年比で17％増加した。このうち黒人やヒスパニック、アジア系など人種差別絡みのものが58％、反ユダヤ主義や反イスラム主義など宗教差別絡みのものが23％だったという。

オルーク氏はこのようなトランプ前大統領の言動が、白人至上主義に傾倒していたエルパソ事件の犯人に大きな影響を与えたのではないかと主張したのだが、同様の指摘をした人は他にもいた。

エルパソで移民専門弁護士として開業し、地元の民主党委員会の役員も務めていたアリアナ・ホルキン氏はこう述べた。

「大統領は自分の発言が今回の事件において、何らかの役割を担ったことを認めるべきです。大統領の発言には影響力があるのです。エルパソでは先週土曜日（事件当日）、大統領の言葉はコミュニティを変えるような深刻な影響を持つということを学びました」

「大統領は白人至上主義者がすでに抱いている憎悪や怒りをさらに掻き立てるような話し方をします。大統領は容疑者の手に銃を持たせるような直接的な役割を担っていなかったかもしれませんが、白人至上主義的な思想を持った人たちを間違いなく煽っていますし、それを許しているのです」（PBSニュースアワー、2019年8月7日）

トランプ前大統領はエルパソの事件後、被害者を見舞うために現場の病院を訪れたが、8人が入院していた病院では、大統領との面会を望む人は一人もいなかったそうだ。その人たちの気持ちを代弁するように、現地の住民たちは街頭で、「大統領は帰れ！」と抗議運動を展開し、「事件の原因をつくったのは大統領だ」と厳しく批判した。

有色人種が白人に取って代わるという陰謀論

エルパソとバッファローの事件の犯人に共通していたのは、ともに白人至上主義に傾倒し、有色人種が白人に取って代わるという陰謀論（置き換え理論）を強く信じていたことだ。だから2人はできるだけ多くのメキシコ系移民と黒人を殺すために犯行に及んだのだが、この置き換え理論はいったい誰がどのように広めたのか。

もともとは数十年前、米国やヨーロッパを中心に白人の出生率低下や人口減少が進んでいることに危機感を持った一部の白人至上主義者が、「リベラル派のエリートが移民政策によって有色人種の移民を大量に受け入れている」、「誰かが白人を組織的に〝絶滅〟させようとしている」などと全く根拠のない陰謀めいた主張を始めたのがきっかけだった。その目的は白人たちを怯えさせ、白人至上主義者の主張や暴力行為を正当化することではなかったかと思われる。

置き換え理論は白人至上主義者やネオナチなどによって、欧米だけでなく、オーストラリアやニュージーランド、カナダなどでも広められた。近年はSNSを通して極右組織関連サイトなどでも拡散され、白人至上主義に関心を持つ若い男性に向けて、「白人が置き換えられるのを阻止するために、行動を起こさなければならない」などと暴力行為を煽るメッセージを送ったりしている。その結果、エルパソやバッファローの事件が起きたと言ってもよいだろう。

実は置き換え理論の拡散においても、トランプ前大統領が大きな影響を与えたとみられている。そもそもトランプ氏は２０１６年大統領選に立候補した時から、「人口構成で少数派になり、権力や影響力を失うかもしれない」という白人たちの不安を意識した選挙運動を展開した。米国ではこの数十年間、ヒスパニックやアジア系の移民が大量に流入した結果、有色人種の人口増加が急速に進み、「このままのペースで黒人、ヒスパニック、アジア系などの有色人種の移民が増え続けたら、２０４５年頃に白人が少数派になるだろう」との人口予測が国勢調査局から出て、白人たちは大きなショックを受けた。

つまり、白人たちは「多数派としての恩恵や特権を失うかもしれない」との不安と恐怖を感じ始めたわけだが、トランプ氏はその不安に巧みに付け入り、２０１６年の大統領選で「アメリカを再び偉大にする（ＭＡＧＡ）」というスローガンを掲げて、白人有権者の心をつかみ、当選した。

しかし、このスローガンには、「白人のアメリカを再び偉大にする」「私が大統領になれば、白人優位社会を維持できるようにする。だから私に投票してほしい」という隠されたメッセージが込められていた。だからこそトランプ氏は選挙運動中から、有色人種や移民を激しく攻撃し、彼らの人口増加に不安を感じている白人保守層の有権者を安心させようとしたのではないかと思われる。

白人たちの少数派になることへの不安と、それをうまく利用して白人保守派の強い支持を得て大統領になったトランプ氏の政治手法などについては、拙著『アメリカ白人が少数派になる日――「2045年問題」と新たな人種戦争』（かもがわ出版）で詳しく述べているので、興味のある方は参照していただきたい。

トランプ氏は大統領に就任後も、イスラム教徒の入国禁止や移民受け入れ制限、メキシコ国境の壁建設（バイデン政権によって中止されたが）などの反移民政策を次々に実行し、その一方で白人至上主義者を擁護して、「白人のアメリカを偉大にする」ための政治を行った。

このようなトランプ前大統領の政策と言動は、米国内の白人保守派や白人至上主義者、極右勢力などを勢いづかせただけでなく、海外の白人至上主義者にもパワーとインスピレーションを与えた。

白人至上主義者が銃を持つことの怖さ

エルパソ事件の約4カ月半前の2019年3月15日、ニュージーランドのクライストチャーチで、半自動小銃を持った白人至上主義者の男がモスク（イスラム教徒の礼拝所）を襲撃し、51人を殺害するという同国史上最悪の乱射事件を起こしたが、なんとこの犯人は、トランプ前大統領の熱烈な支持者だったことがわかった。

男は金曜礼拝に集まった大勢の信者に向けて発砲し、難から逃れようとドアに向かって走り出したり、床から這いつくばったり、壁をよじ登ろうとした人たちを容赦なく撃ち殺した。人々が血を流して倒れ、死んでいく姿を動画で撮影し、17分間にわたってフェイスブックでライブ配信したという犯人の残忍性は、一体どこからきたのか。

オーストラリア出身のブレントン・タラント被告（28歳）は強い移民排斥感情と白人至上主義に突き動かされて犯行に及んだようだが、犯行前にSNSに投稿した70頁を超える声明文は、有色人種の移民に対する憎しみに満ちていた。彼は2017年4月にフランス、スペインなどヨーロッパを旅行した際、どんな小さな町にも移民が入り込んでいるのを目の当たりにして、「白人の西洋諸国が侵略されている」と危機感を持ち、「これに対抗するには暴力的な解決策しかない」と考えるようになったという。

そして、2011年7月にノルウェーで起きた連続爆破・乱射事件で77人を殺害した極右過激派のアンネシュ・ブレイビク受刑者や、2015年6月に米国サウスカロライナ州チャールストンの黒人教会で9人を殺した白人至上主義者のディラン・ルフ受刑者を称え、約2年かけてニュージーランドのモスク襲撃を計画した、と声明文の中で述べた。それから彼はトランプ前大統領を「新たな白人のアイデンティティの象徴である」と称賛し、強く支持していることを明かした。

この事件は、白人至上主義や過激思想に国境はないこと、そしてトランプ前大統領の人種差別的レトリックや白人至上主義者を擁護する言動が、海外の大量殺人事件の銃撃犯にも影響を与えていることを浮き彫りにした。それと同時に、多くの移民や有色人種を殺したいと考えている白人至上主義者や過激派が殺傷力の高い銃を簡単に入手できてしまう社会の怖さ、異常さを、改めて人々に思い知らせる結果となった。

そこでニュージーランドではこの事件の後、ジャシンダ・アーダーン首相が白人至上主義や極右思想を厳しく非難した。同時に強い指導力を発揮して、事件で使われた半自動小銃と大容量弾倉の販売を禁止し、政府がこれらの銃を強制的に買い戻す措置などを含む銃規制改正法を早々に制定した。

米国の銃とKKKと人種差別の歴史

実は白人至上主義者による黒人虐殺は、今から150年以上前の1865年に白人至上主義団体のKKKが設立されて以来、ずっと行われてきたことである。

1865年といえば、南北戦争が終結し奴隷制が公式に禁止された年だが、それと同じ年にKKKが設立されたのは、単なる偶然ではなかった。KKKが白人の人種的優位性を維持するために設立されたことは前に述べたが、他にもう1つ重要な目的があったのではないかと言われている。

当時、奴隷から解放されて自由の身となった黒人たちが社会や経済などの分野で力をつけ、「もしかしたら自分たち白人に復讐しようとするのではないか」と恐れた人が少なからずいた。

特に奴隷商人や奴隷所有者だった人たちのなかに多かったようだが、そのため、彼らの不安を和らげるために黒人を脅し、残虐行為を行うＫＫＫのような暴力団体が必要だったということである。

そしてＫＫＫは黒人を抑圧し服従させる手段として、「リンチ」を考え出した。これは法律に則った逮捕や告発などの司法プロセスを一切無視して、白人至上主義者を中心とした暴徒集団による公開の「私刑」という形で行われた。犠牲者の黒人は捕らえられ、木に吊るされて焼き殺されたり、こん棒で殴り殺されたり、銃で頭を撃ちぬかれたり、とても人間業とは思えない残忍な方法で殺された。リンチは南北戦争の復興後の１８７０年代に始まり、１９５０年代まで続いたが、その間にミシシッピ、ルイジアナ、ジョージアなど南部諸州で殺害された黒人の数は、４０００人を超えたという。

ＫＫＫはその残虐さゆえに社会的に厳しい批判を受け、メンバーを減らすこともあったが、白人の優位性を信じる人はつねに一定の割合で存在するため、どんなに凶悪な人種差別犯罪を繰り返しても解散に追い込まれることはなかった。

１９００年代に入ると、ＫＫＫは南部の黒人だけでなく、全米のアジア系やヒスパニックなどすべての有色人種を標的にするようになり、支持者を増やした。その後、ＫＫＫの勢力は一時衰えたが、１９５０年代に公民権運動が始まると、それに反対する白人保守派の不満を取り込む形で勢力を盛り返した。

また、KKKなどの白人至上主義団体はリンチの他にも、奴隷から解放されて社会的に力をつけ始めた黒人を標的に大量虐殺の企てを次々に実行した。たとえば、1866年に奴隷解放された黒人の参政権について議論していたルイジアナ州議会の会議場を銃で武装した白人至上主義者が襲撃し、34人の黒人を殺害。また、1898年にはノースカロライナ州ウィルミントンで黒人が市の人口の過半数を占め、社会的に台頭してきたことに対して、怒りや不満を持った白人至上主義者のグループが、荷車に搭載したガトリング砲（速射可能な機関銃）などを使って暴動を起こし、約60人の黒人住民を殺害した。

さらに1921年にはオクラホマ州タルサで武装した白人暴徒たちが、比較的裕福な黒人が多く住み、「黒人のウォール街」と呼ばれていたグリーンウッド地区を襲撃した。24時間足らずの間に約300人の黒人が殺害され、黒人の住宅や店舗、企業、新聞社、教会など1000棟以上の建物が破壊された。

襲撃の理由は「黒人の男がエレベーターの中で、白人女性を暴行した」というものだったが、そのような証拠はなく、成功した黒人に対する白人たちの妬みや怒りではなかったかと言われている。つまり、「黒人でありながら経済的に成功した」というだけの理由で、彼らは拷問され、殺害され、住宅や店舗などを破壊されたということである。タルサの事件は米国史上最悪の黒人虐殺事件の1つとして、100年以上経った今でも多くの人に語り継がれている。

人種差別問題に積極的に取り組んでいるバイデン大統領は2021年6月1日、現職大統領として初めてタルサを訪れて追悼式に出席し、100年前に起こった出来事の恐怖について語った。

「100年前の6月1日、タルサの上空を煙が黒く染めました。グリーンウッド地区の35ブロックが放火され、廃墟と化したのです。夜から朝にかけて暴徒が銃を持ってこの地区を襲い、拷問などやりたい放題のことをしました。黒人の一家を殺害し、男性の腰にロープを巻き、トラックの後部に縛りつけて引きずったのです。黒人の一家を殺害し、家のフェンスに遺体をぶら下げました。暴徒たちのそばで必死に祈りを捧げていた夫婦は後頭部を撃たれました……」

この後、バイデン大統領は100年前の惨劇の3人の生存者と面会したが、彼らは次のようなことを話したという。

「私たちはすべてを失いました。家の教会も新聞社も劇場も命も失いました。グリーンウッド地区は米国の黒人の可能な限りの最高のものを代表していました。すべての人にとってです」

「私たちは正義を求めています。タルサで起こったことを国に認めてほしいのです」

この襲撃では多くの罪のない黒人の命が奪われ、黒人住民の住宅や商業施設などが失われたが、これまでその責任を誰も取っていない。バイデン大統領はグリーンウッド地区の住宅や教育施設への支援と、黒人やヒスパニックなどが経営する中小企業への投資などを表明したが、それでは全く不十分であろう。

しかもここにあげたタルサやウィルミントンなどの事件はほんの一部にすぎない。アフリカ系米国人の歴史を研究している専門家によると、米国では１８７０年代から１９４０年代にかけて、白人至上主義者による黒人への残虐行為は１００件以上あったという。

このように白人至上主義者やそのシンパによる黒人虐殺などを人種差別の歴史を通してみると、米国社会が抱える問題の深刻さを改めて思い知らされる。それと同時に感じるのは、多くの有色人種や移民を殺したいと考えている白人至上主義者が簡単に銃を入手できてしまう、銃社会の怖さである。

議事堂襲撃を主導した前大統領と極右勢力

白人至上主義者や極右過激派は、有色人種の虐殺だけでなく、米国の憲法と民主主義を危険にさらす暴力行為も行っている。その象徴的なケースが２０２１年1月6日、トランプ前大統領が２０２０年大統領選の結果を覆すために、極右過激派を含む熱狂的支持者を扇動して起こした連邦議会議事堂の襲撃事件ではなかったかと思われる。

大統領選に敗北したにもかかわらず、権力の座にとどまるために「選挙は盗まれた（大規模な不正があった）」という根拠のない主張を続けたトランプ前大統領は、ジョージア州やアリゾナ州など激戦州の選挙管理責任者に「不正の証拠を見つけ出せ」と圧力をかけ、選挙結果を覆すための訴訟を60件以上も起こしたが、どれも不成功に終わった。

そこでトランプ氏は2021年1月6日の議会両院本会議で、次期大統領を公式に認定することになっていたペンス副大統領（当時）に対し、「激戦州の選挙結果を認定せず、各州に差し戻して再集計させるように」と迫った。つまり、自分のために4年間尽くしてくれた副大統領に違法行為をするよう強要したわけだが、その違法性を認識していたペンス氏は、「それはできません」と断った。

しかし、それでもあきらめなかったトランプ氏は最後の手段として、1月6日の午前中、ホワイトハウス近くで支持者集会を開き、選挙不正についての主張を繰り返した後で、彼らに議事堂へ向かうように呼びかけた。同時に「議事堂へ行って、死に物狂いで戦おう！　そうしなければ、民主主義はなくなってしまう。弱さを見せていては、国を取り戻すことはできない」と過激な行動をけしかけた。

その結果、暴徒化した支持者が議事堂に乱入して次期大統領の認定手続きを妨害し、平和的な政権移行を阻止しようとしたのである。2000人以上の支持者は議事堂を警備していた警官隊に対し、「数の上ではこっちの方がまさっている。おまえたちのボス、トランプ大統領の命令に従ったまでだ」と豪語し、次々に乱入した。

それから1時間余り経った午後2時過ぎ、トランプ氏は「マイク・ペンスは国と憲法を守るためにするべきことをしなかった。彼は勇気がなかった」と、自分の命令に従わなかったペンス副大統領を激しく攻撃するメッセージをツイッターに投稿した。すると、それが暴徒たちの火に油を注ぐ結果となり、彼らは一斉に「マイク・ペンスは裏切り者だ」「ペンスを吊るせ！」などと気勢をあげて、彼を探し回った。

ペンス氏は上院本会議場の部屋から家族と一緒に他の部屋へ移り、さらに安全が確保されている地下室へ移動した。ある時点で暴徒たちはペンス氏のわずか40フィート（約12メートル）にまで迫っていたというが、もし見つけられていたら、ペンス氏は殺されていた可能性があったという。ある情報提供者がＦＢＩに伝えたところでは、「過激派は機会があれば、ペンス氏を殺害していただろう」というのだ。

この時、トランプ氏はホワイトハウスの執務室近くのテレビで議事堂が襲撃される様子を見ていたことがわかっているが、大統領として国防長官や司法省などに連絡し、暴動をやめさせることができたにもかかわらず、そうしなかったのである。

結局、襲撃が始まってから１８９分後の午後４時17分まで、トランプ氏は暴徒たちに議事堂から出るように呼びかけるのを拒否し、その後、ホワイトハウスから録画したメッセージをツイッターに投稿した。その締めくくりの部分はこうなっていたという。

「もう帰ってください。愛しています。あなたたちは特別な人たちです。何が起きたかわかるでしょう。他の人たちがどんなにひどい扱いを受けたのかを見たでしょう。皆さんの気持ちはわかります。しかし、もう静かに帰りましょう」

銃で武装した過激派が「内戦」を画策

もしペンス氏が襲撃されていたら、バイデン次期大統領の認定手続きが進まず、平和的な政権移行ができなかったかもしれない。ペンス氏が危険な状況に追い込まれながらも、勇気を示してトランプ氏の命令に従わなかったおかげで、米国の民主主義は大惨事の一歩手前でなんとか踏みとどまることができたのである。

議事堂を襲撃したのは熱狂的なトランプ支持者だが、彼らのなかには「オースキーパーズ」や「プラウド・ボーイズ」など過激な暴力行為で知られる極右団体のメンバーも多数含まれていた。

襲撃事件の約1週間後、司法省は、オースキーパーズの創設者スチュワート・ローズらメンバー11人を扇動共謀罪の容疑で起訴した。これは暴力的手段で政府の転覆や権限剥奪などを企てたとする犯罪で、国家反逆にもあたる重罪である。

ＦＢＩの捜査でローズ被告は、２０２０年11月の大統領選の直後からトランプ氏の「選挙は盗まれた」という嘘の主張に同調し、戦闘準備を進めていたことがわかった。

投票日の数日後、ローズ被告はメンバーに対し、かつてユーゴスラビアの独裁者だったミロシェビッチ大統領の例をあげて、「ミロシェビッチが選挙を盗んだ時、セルビアの人々がやったことをしなくてはならない。選挙結果を認めず、議事堂に行進するのだ」「内戦を起こさなければならない。自分たちの心と体、精神を備えよ」という内容のメールを送っていたという。

ちなみにユーゴスラビアの場合は、２０００年の大統領選でミロシェビッチ大統領（当時）が敗北を認めず、権力の座にとどまろうとしたことから国民の間で抗議運動が活発化し、大統領を退陣に追い込んだというもので、トランプ氏のケースとはまったく異なる。ミロシェビッチ大統領は退陣後、不正蓄財・職権濫用の容疑で逮捕され、国際戦犯の容疑者として、オランダ・ハーグの国際司法裁判所に引き渡された。

ＦＢＩの発表によると、ローズ被告はメンバーにメールを送った後、議事堂襲撃を実行するために特別チームを結成して参加者を募り、銃や銃弾の他、迷彩服、防弾チョッキ、軍用ヘルメット、無線機、こん棒、ナイフなどの武器をそろえたという。

また、もう1つの極右団体「プラウド・ボーイズ」のリーダーも、ＳＮＳで1月6日のトランプ氏の集会に参加するようメンバーに呼びかけていたことがわかった。２０１６年に創設されたプラウド・ボーイズは、黒人差別の撤廃を求める「ブラック・ライブズ・マター（ＢＬＭ）」運動の活動家などと激しく対立するなどして数々の暴力行為を起こし、国内テロ対策の専門家から、「過激派の暴力を誘発している」と警告された悪名高い団体である。

トランプ前大統領との関係も以前から取り沙汰されており、２０２０年9月に行われた大統領選のテレビ討論会で、司会者から「極右の過激派組織、プラウド・ボーイズを糾弾しますか？」と問われたトランプ氏が「そうする」と答えずに、「プラウド・ボーイズよ、スタンドバック・アンド・スタンドバイ（後ろに下がって待機せよ）」と、意味深な言葉を言ったのは有名だ。

議事堂の襲撃には2つの極右団体の他に、反政府主義や国民に武装する権利などを主張する武装民兵組織「ミリシア」も加わっていたことがわかった。ミリシアは2020年10月にミシガン州のグレッチェン・ウィットマー知事（民主党）の拉致を計画し、「内戦を画策した」としてメンバーが逮捕され注目されたが、本当に怖いのは彼らが軍隊経験者を積極的に勧誘していることだ。

実際、襲撃の際に軍用ヘルメットや戦闘用ベストなどを身につけた元空軍将校や、「武器があるなら、持ってこい」「これは2度目の革命だ。平和的な抗議運動ではない」などと叫ぶ退役軍人の姿が目撃されており、ミリシアのメンバーが多く含まれていたのではないかと思われる。

ミリシアの脅威を過小評価してはいけない。1995年には元陸軍兵士でミリシアと関係があったとされるティモシー・マクベイがオクラホマシティの連邦政府ビルを爆破し、168人が死亡、500人以上が負傷したのである。

また、議事堂を襲撃した暴徒たちの中には拳銃などで武装した者が少なくなかったが、彼らが持っていた弾丸をすべて合わせると、2600発以上にのぼったという。これは上下両院の連邦議員535人を4回以上撃つのに十分な数であり、一歩間違えたら大惨事となっていた可能性もあった。司法省の発表によれば、この事件では警察官を含む5人が死亡し、700人以上が逮捕・起訴された（事件から1年後の2022年1月6日時点）。

これはトランプ前大統領と極右過激派が主導した「クーデター未遂」とも言える事件だったが、さらに懸念されるのは、トランプ氏が現在も選挙不正の主張を続け、2024年の大統領選に向けて新たな「選挙略奪計画」（クーデター計画）を企んでいることである。

トランプ氏再選なら、銃問題はさらに悪化

トランプ氏と彼に与する共和党勢力はすでに、前回のクーデター未遂の経験を教訓に、どこがうまくいかなかったのかを検証し、激戦州の選挙結果を容易に覆せるようにするための準備を進めている。具体的には激戦州の共和党の州務長官（選挙管理の責任者）や州知事、州議会議員などの職にトランプ氏の嘘を信じる人物をどんどん送り込むことだ。そうすれば、選挙で接戦になったり、僅差で敗れたりした場合に、票の再集計や結果の認定などを有利に進めることができるからである。

もしこの計画がうまくいき、トランプ氏が再び大統領の職に就くことになれば、米国内の白人至上主義者や極右過激派の脅威はいっそう高まり、銃問題は一段と悪化することが予想される。そうなる理由はいくつか考えられるが、まずは第2章でも述べたように、国民の銃所持の権利を強硬に主張し、議会に提出された銃規制法案をつぶすために政治家への強力なロビー活

動を行っている全米ライフル協会（ＮＲＡ）とトランプ氏が非常に親しい関係にあることだ。トランプ氏がＮＲＡから多額の献金を受け取り、ＮＲＡの広告塔のような役割を果たしていることもすでに述べた。

２つ目の理由は、トランプ氏の暴力的な言葉や話し方が、米国の政治風土や社会を暴力的に変えてしまう危険性を孕んでいることである。

民主主義や権威主義政治に関する研究を行っているニューヨーク大学歴史学部のベン・ギアット教授は、トランプ氏が２０１６年の大統領選に立候補した時から、彼の暴力的な言葉や話し方に注目し、その影響を懸念していたという。

ギアット教授は２０２２年7月18日のＰＢＳニュースアワーの番組でこう話した。

「２０１６年の選挙運動中、トランプ氏とその周辺の人たちは政治風土を民主主義から権威主義に変えようとし始めました。トランプ氏は暴力を前向きなもののように語り始め、演説中に〝あいつの顔にパンチを食らわせたい〟などと言い、人々に一種の〝感情的な再訓練〟を行いました。〝隣の人に暴力的な言葉を吐いても悪いとは限らない〟と言ったのです。それ以前の選挙集会では暴力は非難され、告発されていたんです」

トランプ氏の影響を受けて、共和党の中にも暴力的なメッセージやスタイルが広まり、２０２２年11月の中間選挙の共和党候補の選挙広告には暴力的なメッセージやイメージがあふれた。たとえば、アリゾナ州の下院議員候補は、「あなたの家族を怪しい民主党から守れるのは、このライフル銃だけです。（殺傷力の高い）半自動小銃が必要になるかもしれません」などと、銃所持の権利を訴えると同時に、銃暴力を煽るようなメッセージを選挙広告に入れたのである。

ギアット教授は「共和党の中で頭角を現すには、暴力的な言葉遣いをしなければならないのです」と指摘したが、実際、共和党指導部は各候補が過激な言葉遣いをしても非難したりせずに黙認。共和党上院トップのマコネル院内総務は、「何を受け入れるかは個人に任されている」と述べた。

一方、民主党の政治家も過激な言葉遣いをすることはあるが、それを中間選挙の広告で使ったりはしない。現職の議員が半自動小銃を手にして銃暴力を煽るようなシーンは、民主党の広告には出てこない。それが連邦議会議事堂の襲撃事件を起こしたトランプ前大統領を今でも多くの議員が支持している共和党と、事件で何が起きたのかを明らかにして再発を防ぐための「下院特別調査委員会」を主導した民主党との違いではないかと思われる。

また、銃問題の対応においても、これまで述べたように民主党と共和党では大きな違いがある。民主党の議員は大規模な銃乱射事件が起こるたびに銃規制を強化するための法案を議会に提出しているが、ＮＲＡの影響を強く受けた共和党議員の反対によってなかなか成立させることができないのである。

さらにギアット教授は「トランプ氏の暴力的な言葉遣いと政治風土を変えようとする試みが、議事堂襲撃事件につながったのではないか」と指摘し、理由をこう説明した。

「（トランプ氏は）自分を選ばなかった民主主義体制の被害者を標榜し、この間違いを正す唯一の方法は暴力であり、暴力を使って間違いを正す行為は浄化作用があって、愛国的だとも言っている。このような事態はこれまでありませんでした」（前出ＰＢＳニュースアワー）

ギアット教授が指摘した通り、トランプ氏は「選挙は盗まれた」と嘘の主張をして被害者を装い、銃で武装した熱狂的な支持者たちをけしかけて、議事堂襲撃事件を起こしたのである。

もしトランプ氏が２０２４年にホワイトハウスに戻ってくるようなことになれば、銃暴力の問題は一層悪化することが予想されるが、その可能性は小さくない。

トランプ前大統領は多くの法的な問題をかかえているにもかかわらず、党内の支持はまったく揺らぐことなく、大統領選に向けた共和党予備選の最有力候補となっている。

２０２３年3月30日、トランプ氏は不倫相手に支払った口止め料のもみ消し工作を巡るビジネス文書の改ざんや他の犯罪行為の隠蔽などの容疑で、ニューヨーク州のマンハッタン地区検察に起訴された。

これに対してトランプ氏は、「起訴は不当で、２０２４年の大統領選を妨害するために起こされたものだ」と無罪を主張し、激しい検察批判を展開。その上で、「自分は政治的迫害の犠牲者である」と述べ、「私たちはアメリカの歴史の最も暗い章を生きている。この国の勤勉な人たちの敵である急進左派は、おぞましい魔女狩りで私を起訴した。しかし、これはジョー・

バイデンにとって裏目に出るだろう。皆さんのサポートにより、私たちはアメリカの歴史に偉大な章を書き加える。2024年は私たちが共和党を救った年として歴史に残るだろう」という内容の電子メールを支持者に送り、支持と寄付を求めた。

つまり、トランプ氏は刑事訴追を逆手に取って迫害の被害者を装い、人々の同情や注目を集め、支持率の上昇と寄付金収入の拡大を図ったわけだが、まさに「混沌と混乱の状況においてこそ、大きな力を発揮する」と言われるトランプ氏の真骨頂だ。このやり方でトランプ氏は大統領在任中の2度の弾劾裁判を含め、数々の危機を乗り越えてきたのである。

この巧みな選挙戦略は一定の効果をあげた。トランプ陣営は「トランプ・セーブ・アメリカ合同資金調達委員会(TSAJFC)」という専門部署を設置して支持者に寄付を募っているが、TSAJFCはトランプ氏が起訴されてから24時間で約400万ドル(約5億2000万円)を、さらにニューヨーク州の裁判所に出廷した4月4日の時点で、1000万ドル(約13億円)以上を集めたという。トランプ氏はその数週間前にも、「来週火曜日(3月21日)に逮捕される」とSNSに投稿し、3日間でおよそ150万ドル(約1億9500万円)を集めた。

起訴後は寄付が増えただけでなく、支持率も上昇した。ロイター通信が4月3日に行った世論調査では、「共和党の予備選でトランプ氏に投票する」と回答した人は48%で、起訴される前の3月中旬より4ポイント上昇。さらに4月6日の調査では、トランプ氏に投票するという人は58%と大幅に増えた。一方、トランプ氏の有力な対抗馬と目されているロン・デサンティスフロリダ州知事は21％と2位につけたものの、支持率は前回より下がった。

この起訴はもともと共和党の指名候補争いでトップだったトランプ氏の基盤を一層強くするのに役立ったことは間違いないが、問題はそれがいつまで続くのかということだ。そのカギとなるのはこの裁判の行方に加え、他の3つの刑事事件の捜査が今後どうなるかである。

トランプ氏は2023年5月現在、①連邦議会議事堂襲撃事件を扇動し、平和的な政権移行を妨害しようとしたとされる件、②大統領退任時に機密文書を不適切に持ち出し、フロリダ州の自宅に保管していたとされる問題、③2020年大統領選におけるジョージア州の選挙結果を覆そうとした件で、連邦検事とジョージア州の地区検察による捜査を受けている。

これら3件はいずれもニューヨーク州のケースより罪が重いとされており、このうち1件かあるいは3件全てで起訴された場合、共和党内で「トランプ氏に代わる選択肢」を模索する動きが活発化するかもしれない。トランプ氏の裁判と他の刑事捜査の行方とともに、2024年大統領選でこれから何が起こるのか、どんなサプライズがあるのか、目が離せない。

第4章

銃問題を通して見えてくる米国の本質

米国社会の分断の根底には銃問題がある

序章でも触れたが、銃問題を通して米国社会について考えてみると、米国が掲げる個人の自由と権利、民主主義、正義などの基本的価値や、最近深刻化している国内の分断などがこの問題と密接に関連していることがわかる。

まずは、銃暴力犯罪を減らすための銃規制の是非をめぐる国内の分断について考えてみたい。銃規制の強化をめぐっては民主党と共和党、リベラル派と保守派、バイデン大統領の支持者とトランプ前大統領の支持者などが激しく対立し、分断の大きな争点となっている。実際、両者の考え方はまったく異なり、たとえば、民主党支持者の多くは、銃規制が銃暴力犯罪を減らすのに役立つと信じ、銃の購入や所持に適切な制限を設ける措置に賛成している。一方、共和党支持者の多くは、銃所持の権利に関しては控えめな規制さえも憲法修正第２条が保障した権利を侵害すると考え、あらゆる銃規制に反対している。

その違いは、バイデン大統領とトランプ前大統領の銃問題への対応と政策にもはっきりと表れている。バイデン大統領は就任後、違法な銃販売業者の取締り強化や地域社会の犯罪防止活動への支援に加え、犯罪に使われることが多い「ゴーストガン＝幽霊銃」の製造番号の登録、製造販売業者の免許取得や購入者の身元調査などの規制強化を実施したことは第１章でも述べた。また、すべての銃購入者の身元調査の義務化や殺傷力の高い半自動小銃と大容量弾倉の販売禁止などの連邦銃規制法の成立をめざし、議会に法案を可決するように強く求めてきたが、NRAの影響を強く受けた共和党議員の反対などで実現には至っていない。

さらにバイデン大統領は民主党の上院議員とオバマ政権の副大統領を含む長い政治キャリアのなかで、一貫して銃暴力を減らすための銃規制強化に取り組んできた。1990年代のクリントン政権下では、ベテラン上院議員としてすべての銃購入者に5日間の待機期間を設ける身元調査を義務づける「ブレイディ法」(1993年)と、殺傷力の高い半自動小銃などの製造・販売を禁止する「攻撃用銃禁止法」(1994年)の成立に尽力した。残念ながら2つの法案は時限立法だったことと、廃止を求めるNRAの激しいロビー活動などもあって、前者は1998年、後者は2004年に廃止されてしまったが、銃暴力の防止に大きな効果をあげたことは調査結果で示されている。

一方、NRAから多額の献金を受けて2016年の選挙で勝利したトランプ前大統領は、就任後即座に、オバマ政権時代に作られた精神疾患の問題があると判断された人の銃の購入を制限する規制を撤廃した。それから2018年の中間選挙で多数派となった下院民主党が、全ての銃購入者の身元調査の義務化などを含む銃規制法案を提出すると、「たとえ両院で可決されても、(大統領として)署名しない」とけん制した。さらに2018年2月のフロリダ州パークランドの高校での大規模な銃乱射事件の後、米国内で銃規制強化を求める機運が高まったが、トランプ前大統領は銃規制ではなく、教師に銃を持たせて学校を安全にするというNRAの主張に沿った政策を実施しようとした。

国民の銃所持の権利を強硬に主張し、連邦議会に提出されたあらゆる銃規制法案をつぶすことを目指しているNRAにとって、広告塔のような役割を果たしてくれるトランプ前大統領は非常に頼りになる存在だったに違いない。しかもトランプ氏は退任後も、NRAの主張を広めるような言動を続けているのだ。

銃規制をめぐる青い州と赤い州の対立

NRAは2016年の大統領選でトランプ候補を勝たせるために多額の献金をしたが、それは同団体にとって「良い賭け（投資）」だったに違いない。つまり、十分な「見返り」が得られたのではないかということである。

その理由はこれまで述べたことに加え、トランプ前大統領が任期中に銃規制に否定的な考えを持つ保守派の連邦最高裁判事を3人も任命したことである。それによって、最高裁判事の構成は保守派6人、リベラル派3人となり、結果的に銃規制の是非を問うような審理で保守派に有利な判断が出やすくなった。

その象徴的なケースは、2022年6月23日、拳銃の携帯を制限しているニューヨーク州の銃規制法について、連邦最高裁が「国民の銃所持の権利を保障した憲法修正第2条に違反している」との判決を下したことである。つまり、保守派判事6人が「特別な理由があると認められた場合のみ、公共の場での拳銃の携帯を許可する」としている同州の銃規制法に対し、「政府に特別な理由を説明しなければ、個人が憲法上の権利を行使できないというのは違憲である」としたのである。

一方、3人のリベラル派判事は「ニューヨーク州の州法は違憲ではない」とし、判断が分かれた。その理由について、3人のうちの1人のスティーブン・ブライヤー判事は、最近米国内で銃乱射事件が多発していることを挙げ、「銃所持の権利について審理する際、銃暴力の蔓延によって州政府が規制を検討せざるを得ない状況に置かれている点を考慮することは、憲法上適切かつ必要と考える」と述べた（PBSニュースアワー、2022年6月23日）。

つまりブライヤー判事は、政府が今日直面している深刻な銃暴力の問題が、250年も前に作られた憲法修正第2条の条文に基づいて解決されるわけではないので、ニューヨーク州の判断を尊重すべきではないかとの見解を示したのだが、保守派判事には受け入れられなかった。

最高裁の判決に対しニューヨーク州のホークル知事は、「これは無謀なだけでなく、非難されるべきものです。州の人たちが望んでいるものではありません」と厳しく批判したが、この指摘はもっともである。

米国では連邦法の銃規制がなかなか進まないために個々の州が独自の規制を実施し、ニューヨーク州でも住民の広い支持を得てこの規制を導入した。ところが、それが連邦最高裁によって一方的に違憲と判断され、廃止されてしまったのである。しかも、それはニューヨーク州だ

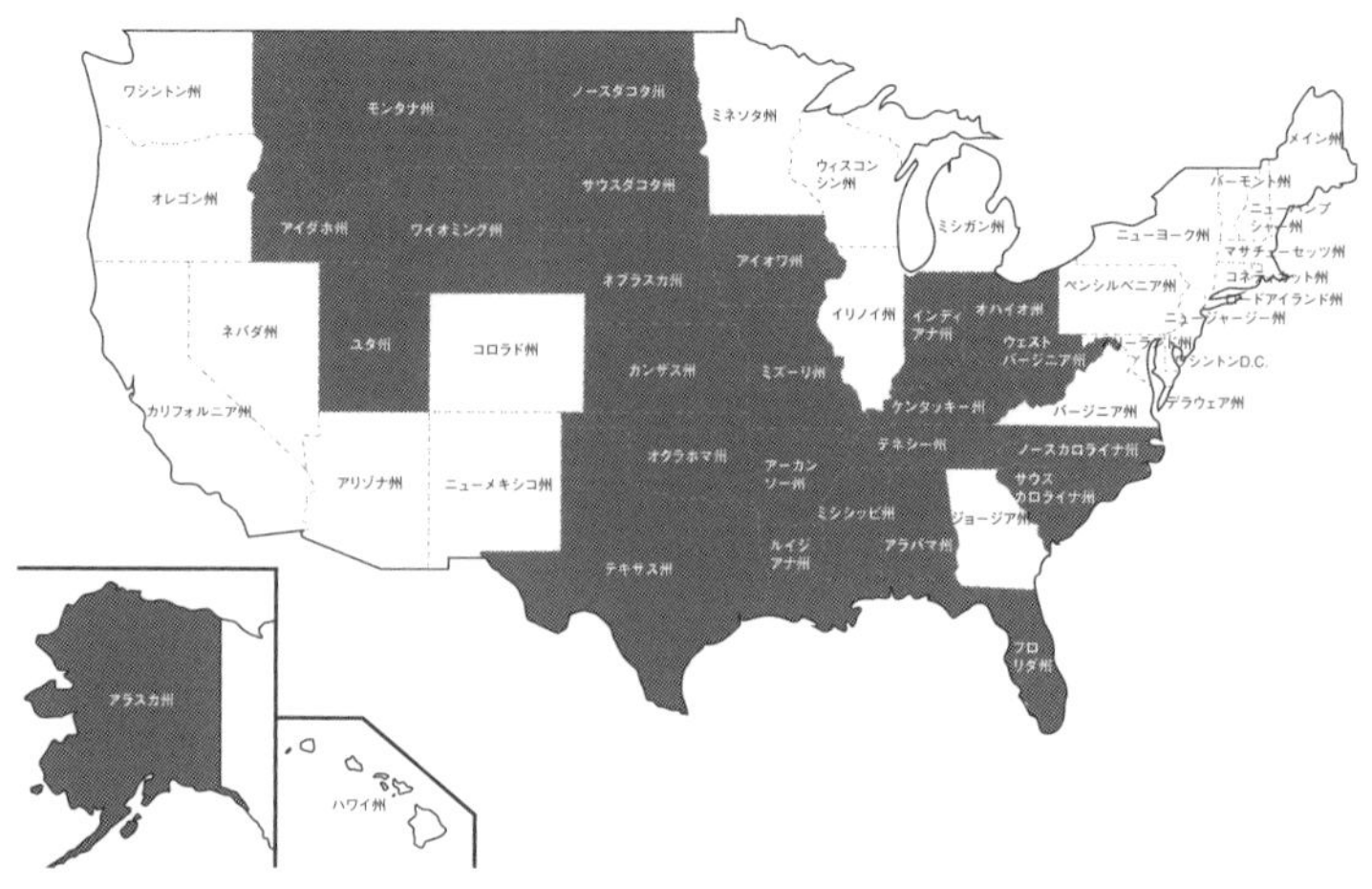

図表４－１　2016 年米大統領選挙の結果の全米マップ
（白はバイデン氏勝利、グレーはトランプ氏勝利）

出所：Reuters https://www.reuters.com/graphics/USA-ELECTION/RESULTS-LIVE-US/dgkvljawovb/

けの問題ではなく、これとほぼ同じ内容の銃規制は他にハワイ、マサチューセッツ、カリフォルニア、ニュージャージー、メリーランドの5州でも実施されており、最高裁の決定はこれらの州にも適用されることになる。この5州に住む人口を合わせると約9000万人に達し、米国の総人口の4分の1以上を占めており、その影響は大きい。

本来、銃暴力を減らすためには銃規制の緩い州の規制を厳しくすることが求められているが、保守派判事が圧倒的多数を占める連邦最高裁はそれと真逆のことを行っており、今後さらに銃暴力の問題が悪化することが懸念される。

ちなみにこの5州はすべて2020年大統領選でバイデン氏が勝利した州だが、米国の州別・地域別の銃規制をめぐる分断状況を見る上で、この大統領選の結果を示した全米マップ（図表4–1）は大いに参考になる。

バイデン氏が勝利した州は比較的厳しい銃規制を実施し、反対にトランプ氏が勝利した州は概して規制が緩い。また、このマップを「州別の銃暴力コストの住民1人当たりの年間負担額」（図表1–2）に照らし合わせてみると、青い州（民主党のイメージカラーから同党が勝利した州をこう呼ぶ）のほとんどはランキングの下位に入り（負担額が少ない）、反対に赤い州（共和党のイメージカラーから同党が勝利した州をこう呼ぶ）のほとんどはランキングの上位に入っている（負担額が多い）ことがわかる。このように銃規制をめぐる対立・分断は、青い州と赤い州の間でも顕著になっているのである。

「文化戦争」に端を発した価値観の衝突

米国における伝統主義者（保守派）と進歩主義者（リベラル派）は、銃規制の他にも女性の人工妊娠中絶の権利や性的少数者（ＬＧＢＴＱ）の平等などをめぐっても激しく対立しているが、これは１９６０年代に始まった「文化戦争」に端を発している。

米国内の保守派とリベラル派の価値観の衝突について論じた『Culture Wars: The Struggle to Define America（文化戦争：アメリカを定義するための闘争）』（１９９１年）を著した社会学者のジェームズ・Ｄ・ハンター教授（バージニア大学）によれば、「文化」という妥協できないテーマが政治問題になった結果、政治が二極化し、社会の分断が進んだという。

ハンター教授は２０２１年11月25日、ＰＢＳニュースアワーの番組に出演し、最近の米国内の文化戦争の状況について語った。

「党派で激しい意見対立が起き、一方が他方を生存の脅威とみなして、そのことが公の議論を白熱化させ、同時に怒りと恐怖を助長させています。我々の公的文化にいま共通のものがあるとすれば、それは恐怖でしょう。恐怖は人種、階級、ジェンダーの中で、保守派とリベラル派を分断させている。恐怖はいま、我々の〝共通の文化〟になっています」

ハンター教授のこの指摘は、銃の問題についても言える。前述のように、銃所持の権利を強硬に主張する人たちが、護身用の銃があまり役立たないにもかかわらず銃を所持しようとするのは、心の中に不安や恐怖を抱えているからだ。これに対して銃規制の推進派はなかなかそれを理解して受け入れることができないため、両者の間で相容れない対立が起きているのだ。

文化戦争のテーマは銃規制から人工妊娠中絶、新型コロナ対策、性的少数者の平等、学校における宗教の役割など様々な分野に及んでいるが、その中でも最近特に人々の関心が高まっているのは、中絶の権利をめぐる問題だ。２０２２年６月24日、保守派判事が多数を占める連邦最高裁が、中絶を認めた１９７３年の「ロー対ウェイド判決」を覆す判断を下したからである。半世紀にわたり保障されてきた女性の権利を否定する判決は、米国社会に大きな衝撃を与え、国民を真っ二つに分断する論争を巻き起こした。

この判決が出た翌日、全米各地で中絶の権利の容認派と反対派がそれぞれ街頭に繰り出し、大規模なデモや集会を行った。その多くは平和裏に行われたが一部は暴徒化し、アイオワ州ではトラックがデモ隊に突っ込み、コロラド州ではキリスト教団体の妊娠相談センターが襲撃され、バーモント州では議事堂の窓ガラスが割られたりしたという。

連邦最高裁の新たな判決を受けて、中絶の権利を認めるか否かは各州に委ねられることになった。その結果、全米で半数を超える26州は中絶を禁止する州法を制定する準備を進め、2022年10月時点ですでに14州が制定した。

中絶が禁止された州に住む女性は、手術を受けるために他の州の医療機関へ行かなければならず、医療面のリスクを負うだけでなく、余分な経済的負担も強いられることになる。しかも米国内で中絶を受ける女性の約半数は貧困層で、有色人種の女性の割合が非常に高いとのデータもあり、この決定は人種差別的でアンフェアであると言わざるを得ない。

最高裁の判決が出た数日後に発表されたABCニュースとワシントン・ポスト紙の合同世論調査では、70%が「中絶の判断は女性と医師に委ねるべきである」と答え、58%が「すべて、またはほとんどの場合に中絶は合法であるべき」と答えている。

中絶は銃規制などと並んで国論を二分するテーマだが、国民の6割から7割は、中絶に賛成とまではいかなくとも合法であるべきと考えている。それにもかかわらず、連邦最高裁はなぜ、中絶を容認した半世紀前の判決をあえて覆す判断をしたのか。

それはトランプ前大統領が任命した3人の保守派判事が、「胎児の生命を重視し、中絶を殺人とみなす」というキリスト教保守派の考え方の影響を強く受けているからと思われる。保守派は概して、たとえ国民の過半数が支持していなくても、自分たちの主張に沿った政策を強硬に進めようとする傾向が強いのである。それは銃の問題でも見られ、国民の約7割が支持している連邦銃規制法の制定を、保守派のＮＲＡや共和党議員らが阻止していることはすでに述べてきた通りだ。

中絶は女性の権利か、それとも殺人か

このような状況のなかで、中絶問題は２０２２年11月の中間選挙で、経済、インフレ、犯罪、銃規制などと並ぶ主要な争点となった。民主党は中絶容認を求めるリベラル・中道派の有権者を投票に駆り立てようと、選挙広告に多額の資金をつぎ込んだ。女性の中絶の権利に焦点を合わせ、「いま、その権利が脅かされている」「自由や民主主義の理想が問われている」と強く訴えたのである。

それからバイデン大統領は、「民主党が両院で過半数の議席を獲得したら、中絶の権利を保障する連邦法案を議会で可決し、署名する」と公約した。一方、共和党は「両院で多数派となったら、中絶を禁止する連邦法を成立させる」と明言し、中絶の権利をめぐる両者の対立は激しさを増した。

そんななか、中絶禁止を強く主張していた共和党候補の嘘や脅迫、暴力などの問題が発覚し、厳しい批判にさらされることになった。中間選挙まで約1カ月と迫った10月初め、アメリカン・フットボール（ＡＦＬ）の元スター選手でジョージア州選出の共和党上院議員候補、ハーシェル・ウォーカー氏が、元ガールフレンドの中絶費用を出していたとの疑惑が浮上したのだ。

これを最初に報じた『デイリー・ビースト』誌は匿名の女性の話として、２００９年に妊娠した時、ウォーカー氏が中絶するように迫ったとした。この女性は中絶費用５７５ドルの請求書とウォーカー氏からだという７００ドルの小切手と、「早く回復してね」というカードを同誌の記者に渡したという。ウォーカー氏は「そんなことはなかった」と否定し、「私は〝中絶して〟とか、誰にも頼んだことはないし、その支払いもしたことはない。７００ドルの小切手に関しては、私はいろいろな人にお金をあげるんです。親切にするというのが、私の信条ですから」と苦しい言い訳をした（ＡＢＣニュース、２０２２年10月４日）。

しかし、彼の息子のクリスチャン氏は父親を「偽善者」と呼び、「〝家族を大切に〟と言いながら、４人の女性との間に４人の子をもうけ、自分は家をあけ、他の女性との情事で、子育てもしていませんよ」と非難した。クリスチャン氏はＳＮＳで影響力を持つ保守派のインフルエンサーで、家族全員が立候補しないように懇願したが、父親は聞き入れなかったという。

ウォーカー氏の問題行動はこれにとどまらず、19年間連れ添った元妻シンディ・グロスマン氏に対する家庭内暴力（ＤＶ）も明らかとなった。彼女はＡＢＣニュースの記者に「彼は銃を取り出して、私のこめかみに突きつけました。そして〝頭を吹き飛ばしてやる〟と言われました。私は彼の目を見て、〝引き金を引けば……。私は自分がどこに行くのかわかっているから〟と言いました」と話した。

ウォーカー氏は他にも彼女の首を絞めたり、武器で脅したりしたそうだが、彼は元妻を脅したことは否定しなかったものの、「まったく記憶がない」と主張した。

ウォーカー氏の対立候補である民主党の現職ラファエル・ワーノック上院議員は、テレビ討論会で彼の嘘を次々にあげて人格を厳しく批判した。

「大学を卒業したと主張していましたが、卒業していません。卒業生総代だったと言いましたが、それも違います。経営する会社は８００人を雇用していると言っていましたが、実際には８人です。起業したと言っていましたが、会社は存在しません。ジョージア州の住民に、彼が上院議員だという幻覚を見てほしいと考えているのでしょう」

このように嘘や脅迫、暴力の問題が次々と出てきたにもかかわらず、ウォーカー氏の支持率はほとんど下がらず、世論調査では選挙の直前までほぼ互角だった。そして11月８日の投票結果は、民主党のワーノック氏が49・５％対48・７％とわずかに上回ったが、両者とも50％に届かなかったため、ジョージア州の法律により決戦投票となった。

12月６日の投票では、ワーノック氏が２・８ポイント差をつけてなんとか勝利した。人格面でいろいろ問題が指摘されたウォーカー氏がここまで接戦に持ち込んだのは驚きだったが、それというのも中絶問題をめぐる両党の対立の激化で、候補者の人格や品位が二の次にされてしまったからではないかと思われる。

ワーノック氏の勝利によって、民主党は上院で51議席を獲得して多数派となった。もし共和党が事前の選挙予想通り圧勝して両院で多数派となっていたら、中絶を禁止する連邦法の制定に向けて動き出したかもしれないが、現段階でその可能性はなくなった。

こうして民主党の中絶の権利を求めるリベラル・中道派の有権者に働きかける選挙戦略は一定の成功を収めたが、中絶問題をめぐる両党の対立は銃規制と同様に今後もずっと続くことになるだろう。

コロナ対策や銃規制より個人の自由を優先

文化戦争に端を発した保守派とリベラル派の対立は、2020年1月に始まった新型コロナウイルス（以下、新型コロナ）の感染防止対策においても起こった。たとえば、感染防止に効果があるとされるマスクだが、その着用をめぐって全米各地のレストランやショッピングセンター、公共交通機関などで論争や口論、騒ぎが頻発した。

2020年5月にはミシガン州フリントの小売りチェーンで、マスクを着けていない客の入店を断った男性警備員が銃で撃たれて死亡するという痛ましい事件が起きた。当時、ミシガン州は新型コロナの感染者が目立って増えていてマスク着用が義務づけられており、警備員は自分のやるべき仕事をしたにすぎなかった。しかも彼は40代の働き盛りで8人の子供の父親だったというが、そのような人がなぜ殺されなければならなかったのか。

世論調査でも示されていたが、マスク着用を拒否する人の割合は保守の共和党支持者の間で比較的多く、反対にリベラルな民主党支持者の間では、「自分と他の人の命を守る」という公衆衛生の観点から、マスク着用に賛成する人が多かった。

また、保守派がマスク着用を拒否する主な理由として、「恥ずかしい」「弱く見える」「政府の言いなりなることの象徴」などが挙げられているが、彼らの考え方に大きな影響を与えたのがトランプ前大統領ではないかと言われている。

トランプ氏は米国疾病予防管理センター（ＣＤＣ）が国民にマスク着用を推奨した後も、それを無視するかのようにマスクを着けなかったが、理由は「弱々しく見えるから」というものだった。弱く見えることや政府の言いなりになることを嫌い、強さやたくましさ、個人の自由などを重視する保守の人たち（特に男性）にとってトランプ氏は尊敬すべき存在であり、なかにはマスク着用を拒否することで、彼に対する忠誠心を示そうとする人もいたそうだ。

しかし、実際にはトランプ前大統領はコロナ対策で大きな失敗をし、そのために米国を世界最大の感染国にしてしまった「張本人」なのである。

思い出していただきたい。２０２０年1月から2月にかけて新型コロナウイルスが世界中で猛威をふるい始めた頃、ホワイトハウスにも警鐘を鳴らす報告があがっていた。にもかかわらず、トランプ前大統領は「暖かくなる頃には、ウイルスはマジックのように消えてなくなるだろう」などと記者団に語り、その脅威を過小評価した。その結果、米国は初期対応が遅れ、感染者を十分に把握できず、感染経路の追跡や感染者の隔離などを徹底できずに感染を拡大させてしまった。この失敗が大きく響き、米国はパンデミック（世界的大流行）が始まった当初から世界最大の感染者数と死者数を記録し、この状況はその後もずっと変わらなかった。

「科学を信用しない」と言われるトランプ前大統領は、ウイルスの脅威を過小評価する言動を繰り返し、マスク着用やワクチン接種を推奨する専門家と意見が対立する場面がしばしば見られた。

保守系メディアのＦＯＸニュースはそんなトランプ氏の言動を擁護し、「民主党と主流メディアはコロナウイルスに過剰反応している」などと批判し、コロナ対策をめぐる党派対立を煽った。その結果、保守派の人たちの間でマスク着用やワクチン接種を拒否する人が増えていったのである。新型コロナという公衆衛生の重大な危機が政治問題化されてしまったわけだが、この対立はバイデン政権になってからもずっと続いた。

バイデン政権が公衆衛生の観点から大企業の従業員などにマスク着用とワクチン接種を義務付ける措置を講じたことに対し、共和党の州知事や連邦議員らが、「個人の自由への脅威だ」などとして差し止めを求める訴訟を起こしたことは序章で述べたが、同様の訴訟は他にも起こされ、政権側が負けるケースが相次いだ。

コロナ対策が政治問題化された結果、国民の信頼が低下し、政府がいくらワクチン接種を呼びかけても受けようとしない人が、特に保守派や共和党支持者の間で増えてしまった。ワクチンには感染予防だけでなく、重症化や死亡リスクを下げる効果があることは広く知られた事実である。ところが政治問題化されたことで、ワクチンの効果を否定したり、「遺伝情報が書き換えられる」「不妊になる」など接種の不安を煽ったりする偽情報がインターネットなどで拡散されたのである。

米国内でオミクロン株による感染が急拡大した2022年2月、ジョンズ・ホプキンス大学公衆衛生学部のサマンサ・ナット准教授はPBSニュースアワーの番組で、成人のワクチン接種が遅れている理由についてこう指摘した。

「なかには勤務時間が合わないなどの理由で接種できない人もいるでしょうが、政府がワクチンのメリットを十分に伝えきれていないことも大きいと思います。重症化や死亡を防ぐというメリットを伝えきれていません。おそらく多くの人が、ワクチンを打ったのにコロナにかかってしまう人が周りにいるのだろうと思います。しかし、実際にはワクチンを打てば、打っていない人に比べて入院する割合が非常に少なくなります。ですから、情報環境の問題もあります。自分でワクチンについて調べる場合、メリットに関する情報よりも嘘の情報を見つけやすいものです。その点でも、我々はもっと努力する必要があります」

またナット准教授は、ワクチンに関する偽情報を信じている人の考えを変えるには多くの時間がかかり、困難を伴う。だからこそ政府はコロナ対策において、人々がつねに正しい情報にアクセスできるようにし、信頼できる人と話せるようにすることが必要だと付け加えた。

米国は新型コロナの初期対応に失敗したうえに、党派対立による感染防止対策の遅れなどで世界一の感染国となり、多くの犠牲者を出してしまった。

ジョンズ・ホプキンス大学の集計では、2022年11月27日現在、米国の新型コロナ感染者数は9856万4494人（死者数107万9197人）で、2位のインド（感染者数4467万2787人、死者数53万612人）、3位のフランス（同3778万9817人、同15万9679人）を大きく引き離している。ちなみに日本は感染者数2439万4223人、死者数4万9044人で8位となっている。

考えてみれば新型コロナの犠牲者に関する状況は、銃暴力による犠牲者の問題ともよく似ている。銃規制の是非をめぐる激しい党派対立の結果、常識的な規制が実施されずに銃暴力の蔓延が放置され、年間4万人を超える米国人が銃で命を落とすという悲惨な状況を招いているのである。

「いざという時、警察は守ってくれない」

ここまで銃問題と関連した米国社会のさまざまな対立や分断について述べてきたが、ここで改めて、米国人がどうしても銃を手放そうとしない理由について考えてみたい。そこで避けて通れないのは、米国人が元来持っている警察に対する根強い不信感と、「自分の身は自分で守る」という自衛意識だ。

米国人の高い自衛意識は西部開拓時代に培われた自主独立の精神に由来しているが、近年はNRAや銃メーカーなどのプロパガンダ（政治的な宣伝）による影響も大きいように思われる。NRAは「法律を守る全ての良き市民が銃を持てば、米国は安全になる」との主張を繰り返し、また銃メーカーは「銃を持つことで、強盗、殺人などの暴力犯罪の恐怖から逃れられる」とさかんに宣伝している。

NRAが会員向けに発行している『アメリカン・ライフルマン』などの雑誌には「市民が本当に助けを必要としている時、警察官はすぐに来てくれない」などと、犯罪の恐怖を煽るような記事やメッセージがあふれている。これを読んだ人たちのなかには、「警察官が助けてくれないとなると、いったい誰が助けてくれるのか？」と自問し、「いざという時、頼りになるのは自分だけ。自分の身は自分で守るしかない。そのためには銃が必要だ」と考える人も出てくるだろう。それが彼らの狙いなのである。

実際、銃所持の権利を強硬に訴える人たちは、「警察がいかに頼りにならないか」ということをことさら強調しようとするが、それを行っている銃所持派の団体はNRAの他にもいくつかある。

私はかつて、「銃所持の権利を守るユダヤ人の会（JPFO）」という団体を取材したことがあるが、その設立者のアーロン・ゼルマン氏はこう話した。

「〝警察は犯罪者から市民を守る義務がある〟と思い込んでいる人が少なくないが、それは大きな間違いです。彼らは不正直な政治家や警察署長などに騙されているのかもしれませんが、その代償はあまりに大きすぎます。警察が助けてくれると信じたばかりに犯罪者に殺された被害者の家族が〝警察の職務怠慢〟を告発しても、後の祭りですよ」

ゼルマン氏によれば、警察官の職務規定には「法と社会の秩序を守る義務がある」と書かれているが、「特定の（個人としての）市民を守る義務がある」とは書かれていない。従って、特定の個人が犯罪者に襲われた時、警察官は必ずしもその人を守る法的義務があるとは限らない（倫理上の義務はあるとしても）のだという。このように銃所持派の人たちは、警察官の職務規定についても言及しながら、「いざという時、警察は助けてくれない。だから自衛のために銃を持った方がよい」と人々に熱心に訴えているのである。

全米ライフル協会が会員向けに発行している雑誌『American Rifleman』

また、銃メーカーはＦＢＩや司法省が発表した犯罪被害者等に関する報告書などを参考にしながら、暴力犯罪の被害に遭う確率が高い性別や年齢などを特定し、それに焦点を当てた銃の販売戦略を立てている。

たとえば、私が米国で取材していた１９９０年代前半、「20代～30代の女性がレイプ、強盗、殺人などの被害に遭う確率が非常に高い」という報告書が出て、多くの女性が不安を覚えた。そこで銃メーカー大手のスミス&ウェッソン社は女性でも簡単に使えて、命中率の高い小型拳銃「レディスミス（Ladysmith）」シリーズを発売し、それに合わせて「女性が拳銃を持てば、レイプ、強盗、殺人などの恐怖から逃れられる」という広告戦略を展開し、売上げを倍増させたのである。

大手銃メーカーが発売した女性向けの拳銃「レディスミス」

当時、サンフランシスコのオフィス街で働いていた30代の女性はそれまで銃を持っていなかったが、同じ地域に住む一人暮らしの女性が強盗に襲われ、銃で撃たれて殺される事件が起きたのをきっかけに「銃なしでは怖くて生きていけない」と考え、レディスミスを購入したと私の取材で話した。

しかし、問題は先述したように、いざという時に護身用の銃があまり役に立たないことだ。護身用の銃で犯罪者に立ち向かった人たちのおよそ5人に1人が負傷したり、殺されたりしている一方で、銃を持たずに犯罪者に対応した人の大多数は無傷で難を逃れたという調査結果もあるのだ。

銃の魅力にはまった人たちの危険な勘違い

護身用の銃で犯罪者に立ち向かおうとする人が多い理由の一つとして、銃を持つことで「自分は強くなった」と勘違いしてしまうことが考えられる。これは「銃の扇情効果」とも言われているが、私も30年ほど前にカリフォルニア州オークランドの射撃場で実際に銃を撃ってみて、それを強く実感した。

米国には各地に銃の愛好家のための射撃場があり、21歳以上の成人なら誰でも入場料を払って銃を撃つことができる。そこでは銃は時間単位で借りることができ、22口径の小型拳銃から38口径の連発式リボルバー（回転式拳銃）、映画「ダーティハリー」でおなじみの44口径マグナムなど数十種類の銃が選り取り見取りだった。初めての人は指導員から「練習中は絶対に銃口を左右に向けない（万一暴発した場合、両隣の人に当たる危険性があるため）」「引き金は軽いので、発砲する時以外は絶対に手を触れない」などの注意を受けてから、弾丸の詰め方を教

射撃場に並べられた様々な口径・種類の銃

えてもらう。

私は生まれて初めて銃を撃つ瞬間を前に、心臓が張り裂けんばかりに緊張したのをよく覚えている。ところが何発か撃っていくうちに緊張はなくなり、逆に弾丸が紙の標的に当たると、「ビーン」という気持ちのいい音がしておもしろくなってきた。その後は時間が経つもの忘れて撃ちまくり、50発入った箱はあっという間に空になった。

私はしだいに銃の魅力にはまっていく自分を感じながら、22口径の小型拳銃から、38口径の6連発リボルバーにも挑戦してみた。リボルバーに弾丸を1つずつ込めていると、映画で見た場面が目に浮かび、両手で銃を構えると、小型拳銃とは違うずしりとした重量感が体に伝わってきて、まるで西部劇のヒーローのような気分になった。そして引き金を引いた瞬間は肩に反動がきて少し驚いたが、何発か撃つとすぐに慣れ、それが快感に変わった。38口径の弾丸は標的に当たった時の手ごたえも大きく、ど真ん中に命中した時は最高の気分だった。

しかし、もしこの弾丸が人に当たったらどうなるかと考えると、思わず引き金を引く指の力が抜けた。銃を使えばいとも簡単に人を殺せるのである。

私はふと我に返って周囲を見渡すと、皆楽しそうに銃を撃ちまくっていた。銃は人に不思議なパワーを与える。私は50発、100発と撃ち続けているうちに、銃が与えてくれるパワーを自分のものと錯覚し、「自分は強くなった」と勘違いしてしまう人の気持ちがわかったような気がした。いったんこの銃の魅力にはまってしまったら、それを断ち切るのは容易なことではないだろう。

普通の人が銃を持って犯罪者に立ち向かっても逆にやられてしまうケースが多いのは、銃の扇情効果による「勘違い」が関連しているのではないかと私は思う。前にも述べたが、よほどの射撃訓練を受けた人でない限り、危機的な状況で百戦錬磨の凶悪犯罪者を撃退するのは難しいのである。

銃による暴力と正義と米国文化の関係

米国人の「自分の身は自分で守る」という自衛意識は西部開拓を進めたフロンティア時代に由来しているが、入植者（開拓者）がヨーロッパから持ち込んだ銃は、米国の建国精神や文化、価値観などさまざまな分野で影響を与えてきた。「ピルグリム（巡礼者）」とも呼ばれた入植者が最初に上陸したのは1600年代初めのことだが、彼らは自衛や狩猟などの目的で銃を持っていたことがわかっている。

全米ライフル協会（NRA）がバージニア州に設立した「国立銃器博物館（NFM）」には、最初に米国に持ち込まれた火縄銃（銃口から弾丸と火薬を詰めて火薬に点火する）やホイールロック式銃（鋼輪の回転によって点火する）などのサンプルが展示されているというが、これら旧式の銃は、新天地の米国でより使いやすくて威力が高い銃へと改良されていったのである。銃はイギリスとの独立戦争やアメリカ合衆国の建国、大陸を西へ西へと進んだ西部開拓などで大きな役割を果たした。「もし銃がなかったら、独立戦争で勝利できなかったのではないか」との指摘もあるが、もしそうなっていたら、合衆国も誕生していなかっただろうし、今日のような銃暴力によって多くの人の命が奪われるようなこともなかったかもしれない。

米国の暴力文化の基礎がフロンティア時代につくられたことは、議論の余地がないだろう。法秩序が打ち立てられていないなかで、銃を持った開拓者は先住民や無法者たちを制し、銃による「正義」を実行したのである。

フロンティア時代には男たちの多くは腰に銃をぶら下げていたが、彼らが自衛のために人を殺すことは珍しくなく、それを非難されるどころか賞賛されることが多かった。残虐な暴力行為がヒロイズム（英雄的行為）にすり替えられていくのは西部劇映画でよくあるパターンだが、彼らは自分の命と財産を自分で守ろうとしたため、暴力で物事を解決しようという風潮が高まった。このような社会では強い人間が尊敬され、保安官よりも頼りにされた。

1992年に公開されて大ヒットした映画「許されざる者」（クリント・イーストウッド監督・主演）は、頼りにならない保安官に代わって賞金稼ぎの流れ者が銃を使って「正義」を実行するという西部劇の典型的なストーリーだ。

時は1880年、米西部ワイオミング州の小さな町で物語は始まる。売春宿で2人のカウボーイが暴れて娼婦の顔を切り刻む事件が起きたが、保安官は正義とは程遠い裁定をした。これに他の娼婦たちが怒り、お金を出し合ってカウボーイの首に賞金をかけたところ、腕の立つマニーという殺し屋が現れた。マニーは娼婦の顔を切り刻んだ2人のカウボーイと保安官を見事に仕留め、町を去っていったが、最後に言い残した「娼婦をもっと人間らしく扱え！　さもないと、また戻ってきて、てめえら、皆殺しにするぞ！」という言葉が心憎かった。結局、銃を持った殺し屋が、保安官に代わって「正義」を実行したのである。

西部劇は銃社会アメリカの歴史と文化をわかりやすく教えてくれるが、それは今日の米国社会でも根強く生き続けている。たとえば、銃文化は狩猟や射撃スポーツなどの大衆文化として、また、自分の身を守るために銃が必要だという「市民武装論」として定着しているが、それらを積極的に推進してきたのがＮＲＡと銃メーカーである。

巨大ビジネスとしての銃産業

銃メーカーのなかでも特に重要な役割を果たしたのは、1発ごとに弾丸を装填する単発銃が主流だった時代（1840〜50年代）に、5連発、6連発のリボルバーを開発した老舗銃メーカーのコルト社だ。一度に5発、6発の弾丸を詰めて込めて連射できるリボルバーは、西部開拓者にとって「お守り」のような存在となった。無法者にいつ襲われるかわからない状況のなかで頼りになるのはコルトの銃だけ、まさに「正義」そのものだったのである。

コルト社の連発銃を一躍有名にしたのは、1846年に勃発したメキシコとの戦争である。テキサス・レンジャー部隊が連発銃を使い、優勢とされていたメキシコ軍を打ち破ったことで大評判となったのだ。戦争が終わった後、レンジャー部隊の隊長がサミュエル・コルト社長宛に、「もし連発銃がなかったら、この決死の戦いに勝利することはできなかっただろう。テキサスの人たちは皆、コルトの銃を持ちたいと思っている」という感謝の手紙を送った話は有名だ。

その後、1861年に始まった南北戦争でもコルトの銃は活躍したが、1890年代に入って西部開拓時代が終わると、銃の需要は減少した。そこでコルト社は将来の市場を見据えて、自動式拳銃や機関銃など軍事用の銃生産に力を入れ始めた。その頃にはスミス&ウェッソン社（通称S&W）、ウィンチェスター社、レミントン・アームズ社など他の銃メーカーとの競争も激しくなっていたが、コルト社は第一次世界大戦（1914〜18年）と第二次世界大戦（1939〜45年）、ベトナム戦争（1954〜75年）で大量の銃器類を米軍に供給したという。

それから1980年代末の冷戦終結で軍事用銃の需要が減ったため、銃メーカーは民事用への転換を余儀なくされた。各社は競ってより速くて威力のある半自動小銃などの生産を進めると同時に、NRAと協力して射撃スポーツや狩猟、市民武装論などの普及に力を入れた。その結果、米国では射撃や狩猟を楽しむ人や護身用として銃を所持する人が増えていったのである。

実際、米国には銃の愛好家が大勢いるが、全米各地で開催される「ガンショー」と呼ばれる銃の見本市に行くと、そのことを実感させられる。

私もガンショーを取材したことがあるが、大きなイベント会場に拳銃やライフル、ショットガン、半自動小銃、山のように積まれた弾丸、狩猟用の小道具、銃を保管するガンロッカーなどが並べられた光景には圧倒された。出展者は主に銃販売業者だが、なかには「自分の持つ拳銃やライフルを売りたい」という人もいた。参加者のほとんどは男性で、見るからに銃と暴力を好みそうなマッチョなタイプが多く、そのなかに交じって女性や若いカップル、親に連れられた小中学生くらいの子供の姿もあった。

このような場所に子供を連れてくる親の気持ちが理解できなかったが、子供たちはいろいろな銃を見たり、手に取ったりして楽しそうだった。このようにして銃への興味と文化は次世代に伝えられていくのであろう。

米国内でも特に銃の愛好家が多いとされる南部の田舎町などでは、ガンショーは地域の一大イベントになっているようだ。テキサス州中心部のオースティンから車で北へ1時間ほどの小さな町では、神（キリスト教）と銃とカントリーミュージックを愛する人が多く、銃は人々の生活の一部になっているという。

この町で約30年にわたってガンショーを主催しているという銃販売業者の男性は、2022年6月7日のPBSニュースアワーの番組で、「1970年代に私が10代だった頃は、22口径のショットガンを積んだトラックで高校に行きました。それが普通でしたよ」と述べた後、「米国における銃は単なる銃、単なる物、単なる飾り、単なる発砲部品の寄せ集めなどではありません。銃は我々にとって、我々の精神にとって非常に象徴的なものなのです」と語った。

本書で繰り返し述べてきたような銃所持の権利を強硬に主張し、何があっても絶対に銃を手放そうとしない人たちのことを考えれば、銃が米国人の精神的な象徴の一部になっていることはなんとなく理解できる。

それに加えて、銃は自由や民主主義といった米国が大切にしている基本的価値と密接に関係しており、それを基盤としたビジネスが巨大産業として成り立っているのが、この国の姿なのだ。

「銃がなければ自由も民主主義も守れない」

序章でも述べたが、銃所持派の人たちは「銃がなければ自由も民主主義も守れない」と主張している。どういうことかと言えば、独裁政権は国民から銃を取り上げたうえで圧政や虐殺に走ることが多いので、国民は絶対に銃を手放してはならないというのである。

前出のＪＰＦＯのゼルマン氏は私の取材でこう話した。

「ナチスドイツはまず、国民の銃所持を禁止する法律を制定し、ユダヤ人から銃を取り上げたうえで大量虐殺を行いました。それだけでなく、第一次世界大戦後の世界の歴史をみると、オスマン帝国によるアルメニア人虐殺やスターリンによる反共主義者の弾圧などは、政府が国民の銃を没収した後で行われています。もしこれらの国で国民の銃が没収されていなかったら、虐殺や弾圧を防ぐことができたかもしれないのです」

ゼルマン氏によれば、１９８９年に起きた中国の天安門事件についても、もし中国の国民が銃を所持していたら、政府が軍を使って学生たちを排除するようなことはしなかったのではないか、と言う。つまり、銃所持派の人たちにとって銃は犯罪者から身を守るだけでなく、国民の自由と権利、民主主義を守るための重要な手段の一つなのである。

元バージニア州議会議員で銃所持の権利擁護活動をしているエリック・プラット氏は、民主主義を守るうえで銃を持つ武装市民の役割は非常に重要だと言う。

「市民が武装していれば、政府は市民から銃撃されたくないから、できるだけ権力濫用を抑制しようとします。自然にチェック・アンド・バランスが機能するのです。でも市民が武装していなければ、政府は絶対的な権力に向かって突き進むかもしれない。政府の指導者が一般市民よりモラルが高いという保証はないし、彼らとていつ犯罪者になるとも限らない。それを全て見越した上で、この国の建国者たちは、国家権力を効果的に監視するために国民に銃を所持する権利を与えたのです」

銃所持派の人たちの、市民の手で自由と民主主義を絶対に守るという意気込みには圧倒されるが、私にとっての疑問は、自由と民主主義を守るためにはどうしても銃が必要なのかということだ。

もし政府が権利濫用に走ったら、世論やメディアの批判に訴えたり、違法行為に関わった政治家を落選させたり、起訴したりすることによって民主主義を守ることはできるのではないか。それこそが真の民主主義を守ることではないのか。

私はこの疑問をぶつけると、プラット氏はこう答えた。

「チェック・アンド・バランスを機能させる方法はできれば多い方がよいのです。もし強力な軍隊と警察を持つ政府が専制に走ったら、選挙や世論、メディア、憲法などは無力化してしまうかもしれない。そうなった時、独裁政権に立ち向かえるのは銃を持った市民だけであり、だからこそ選挙やメディアに加えて、武装市民によるチェック・アンド・バランスが必要なのです」

たしかに1970年代にカンボジアのポル・ポト独裁政権が行った大虐殺や、2022年2月に始まったロシア軍によるウクライナ侵攻などをみると、プラット氏の言うことも一理あるように思えてくるが、実際のところはどうなのか。

1975年から1979年までカンボジアを支配した共産主義政党「クメール・ルージュ」の指導者ポル・ポトは、階級差のない社会を目指して全土に恐怖政治を敷いた。とりわけ知識階級や大都市住民、公務員、宗教指導者などが標的にされ、再教育の目的で過酷な労働を強いられた。拷問を受けた後に処刑されたり、病気や過労、飢餓などで命を落としたりした人は150万人～200万人にのぼったと推定されている。「近年の歴史において、ポル・ポト政権ほど野蛮かつ残忍な政権は他になかった」と指摘する歴史家もいる。

実際、銃を持たないカンボジア国民は残虐な独裁政権に対して全く無力だった。しかし、だからと言って銃所持派が主張するように、国民が銃を持っていたら大虐殺を防ぐことができたのかと言えば、それは疑問だ。強力な軍隊や警察力を持つ独裁政権に対し、国民が銃を持ったくらいで太刀打ちできるとは思えないからである。

また、2022年2月に始まったロシアによるウクライナへの軍事侵攻は、ウクライナの人々に自分や家族の命と国を守るためには銃（武器）が必要だということを思い知らせたに違いない。それと同時にこの戦争は世界の国々に、自由と民主主義を守るためには外交力だけでなく、十分な量の武器と強い軍事力が必要だということを認識させる結果となった。だからこそ世界の民主主義国のリーダーを自認する米国や欧州諸国などは、ウクライナに大量の武器を供与したのである。

そこで銃所持派の人たちは改めて、「自由と民主主義を守るためには銃が必要だ」と主張するかもしれない。しかし前にも述べたように、ウクライナは戦時下にあり、平時の状況にある米国の銃問題と同列に論じることはできない。それと米国民の銃所持の権利を保障しているとされる憲法修正第2条においても専門家の間で解釈が分かれ、約250年前に作られた規定を現在の状況に当てはめて考えてみると、「武器（銃）を所持する権利は当時のミリシア（現代の州兵）に与えられたものであり、全ての国民に無制限に与えられたものではない」という主張もあることを付け加えておきたい。

安心して暮らせる自由を失った米国人

独裁政権が国民から銃を取り上げて無力な人々を虐殺するのは重大な人権侵害行為だが、一方で米国のように、国民の銃所持の権利を重視するあまり、常識的な銃規制の実施を怠り、年間4万人以上が銃で命を落とすという状況を放置するのも深刻な人権侵害と言える。したたかな外交を展開する中国はすでにこの問題を利用し、米国への批判を強めている。

2022年5月末、テキサス州の小学校で児童19人と教師2人が射殺された事件の後、中国共産党系の環球時報は米国で頻発する銃乱射事件について、「貧富の格差や人種差別など社会的矛盾の激化を浮き彫りにしている」と指摘し、「米国政府が自国の重大な人権問題を具体的な行動で解決するよう求める」と主張した。

また、中国外務省の趙立堅報道官は記者会見でテキサス州の事件に触れ、「米国は国内の重大な人権傷害問題を見て見ぬふりをしているのに、何の資格があって他国を批判し、干渉するのか」と強く批判した。

チベット人への人権侵害やウイグル族弾圧などの問題を抱える中国に米国の人権問題を批判する資格があるとは思えないが、銃問題に限って言えば中国は厳しく対応している。中国では原則として狩猟や競技用以外の銃の個人使用は禁止されており、許可されても精神病歴や政治思想まで厳しくチェックされ、銃の厳重な保管も義務づけられている。そして不法所持は懲役3〜14年、違法売買は最高で終身刑が科される可能性がある。

中国による外交的批判は別にして、米国は国内の銃暴力の蔓延をなんとかしなければならないのは言うまでもない。米国が自由と民主主義体制のリーダーを自認するなら、理不尽な銃暴力に怯えずに生活できる社会の実現に向けて全力を注ぐべきであろう。

第1章でも述べたように、米国では学校から職場、スーパー、ショッピングセンター、映画館、コンサート会場、教会などあらゆる場所で銃乱射事件が起きている。2022年7月4日には、イリノイ州ハイランドパークで独立記念日を祝うパレードの最中に近くの建物の屋上から男が銃を乱射し7人が死亡、8歳の子供を含む30人以上が負傷する事件が起きた。この日、6歳の息子を連れてパレードを見にきた母親のアッシュリー・ビーズリーさんは、突然花火のような音を聞いたと思ったら、「銃を発砲している人がいる。あたりが血だらけで死者が出ている」と誰かが叫ぶのが聞こえたという。彼女は命を守るために息子を引きずりながら必死に走って逃げたが、「その時の恐ろしさをずっと忘れることができない」と話した。

「息子の手を引っ張って、とにかく走りました。息子は怖がり、〝撃たれたくない、死にたくない〟と叫び、立ちすくんでしまったからです。6歳の子供が恐怖のあまり動けなくなるなんて、本当につらいです。息子の表情は言い様のないもので、完全に恐怖におののいていました……」(ABCニュース、2022年7月27日)。

息子はこの恐ろしい体験がトラウマとなり、その後、無邪気なところがなくなり、かつての息子ではなくなってしまったという。

この事件はビーズリーさんにも変化をもたらした。彼女は「銃乱射事件について、なんとかしなければならない」と考え、銃規制推進団体に加わり、多くの女性や母親、父親らとともに連邦政府に銃規制強化を求める活動を始めたのだ。そして時にはワシントンにも行き、銃規制法案に反対している共和党議員たちに対し、「家族が地域で恐怖を感じずに安心して暮らせるように議会は行動を起こすべきだと思います」と訴えているという。

米国は国民の銃所持の権利を優先して銃規制の強化を怠ってきた結果、銃暴力が蔓延し、人々は安心して外出したり、楽しく暮らしたりする自由を失ってしまった。ビーズリーさんは恐ろしい銃撃事件の現場に遭遇したのをきっかけにそのことに気づき、活動を始めたが、はたして米国政府は行動を起こすのか。

銃問題の解決を目指す新たな取り組みと可能性については、終章で詳しく述べることにしよう。

終　章

銃問題の解決に向けた新たな可能性

銃暴力の最大の被害者、若者が国を変える

これまで述べてきたように、米国の銃政策は完全に失敗している。銃所持の権利を強硬に主張する全米ライフル協会（ＮＲＡ）やその影響を強く受けた共和党議員らによって、連邦議会に提出された銃規制法案はことごとくつぶされ、全ての銃購入者に身元調査を義務付けるという最小限の銃規制さえも実施できていない。その結果、銃による暴力が蔓延し、年間約４万人が銃で命を落とすという悲惨な状況を招いている。

特に懸念されるのは、この国の将来を担う子供や10代の若者の銃による死亡率が近年急上昇していることだ。ミシガン大学が行った銃暴力に関する調査によると、１歳から19歳までの子供と青少年の死因における銃暴力の割合が数年前から増え始め、２０２０年に交通事故を抜いてトップになったという。学校銃乱射事件や家庭内での誤射事件の増加などもその一因になっていると思われる。

このような状況の中で、「悲惨な銃社会をなんとかしよう」と立ち上がった人たちがいるが、本章では彼らの取り組みを紹介しながら、銃問題解決に向けた新たな可能性を探ってみたい。

まずは２０１８年2月14日のフロリダ州パークランドの高校の銃乱射事件を生き延びた高校生らが中心となって設立した銃規制推進団体、「マーチ・フォー・アワー・ライブズ（ＭＦＯＬ）」である。この事件の後、ＭＦＯＬが主導して全米各地で銃規制強化を求める抗議デモや

集会を行ったことは第2章で述べたが、彼らはその後もずっと活動を続けている。

ＭＦＯＬの設立4周年にあたる２０２２年3月25日、共同設立者のデビッド・ホッグ氏（22歳）はＡＢＣニュースの番組に出演し、「この4年間、銃暴力との闘いは少し前進しましたが、連邦政府と議会はもっとたくさんのことをやる必要があります」と述べた。

銃規制に積極的な民主党は２０２０年にバイデン大統領の当選でホワイトハウスを奪還し、上下両院で多数派となったが（上院は議席同数だが議長を務めるハリス副大統領が決定票を持つため実質的な多数派）、全ての銃購入者の身元調査の義務化や殺傷力の高い攻撃用銃の販売禁止などの重要な銃規制法案を可決できていない。２０２２年5月のテキサス州ユバルディの小学校での銃乱射事件の後、民主党が主導して28年ぶりに連邦銃規制法を成立させたが、可決に必要な共和党議員の票を得るために妥協を重ねた結果、不十分な内容になってしまったことは第2章で述べた。ホッグ氏としてはこれらのことが不満なのだが、一方でバイデン大統領がゴーストガンの規制強化、違法な銃販売業者の取締り強化、全米の主要都市の地域犯罪防止活動の支援などに乗り出したことについては評価した。

それからホッグ氏は同番組で、ＭＦＯＬがバイデン政権に対して銃問題に対応するための予算増額を求めていることを明らかにした。ホワイトハウスに銃暴力対策専門の上級職員を置き、銃暴力の蔓延を「公衆衛生上の重大な脅威」と位置づけて対応する国家プランを作成し、銃暴力に関する研究調査と地域密着型の防止対策を推進するための予算である。ＭＦＯＬはホームページでこれらの提案や要求について詳しく説明しているが、そこで特に強調しているのは、記録的レベルの銃暴力に対応するには、それに見合った人材とプラン、資金が必要ということである。MFOLの政策ディレクター、マックス・マークハム氏はこう述べている。

「私たちは、ホワイトハウスが人々の命を救うための行動をすぐに起こすように指針を定めました。これまで議会が銃暴力を減らすために必要な銃規制法案の可決に失敗するのを何度も見てきましたから。MFOLはバイデン政権が議会と協力して銃暴力を減らすための行政措置や資金提供などを確実に実行するように促していきます。私たちの世代は思いや祈りには興味ありません。大統領が銃暴力防止の基本政策を実行するのを楽しみに待っています」

MFOLはバイデン政権に政策提案を行うと同時に、若い有権者に銃暴力がいかに重要な問題であるかを説き、共に闘おうと呼びかけている。

MFOLのアレクシス事務局長はこう訴える。

「2018年2月に起きた銃乱射事件が私たちの運動の火付け役になりましたが、それ以来、無数の人々が日常的な銃暴力に苦しんでいます。対策を促すのにこれ以上待つべきではありません。私たちはNRAや腐敗した政治家と断固戦う一方で、人々の命を救う準備ができている連邦議員やホワイトハウスにはメッセージを届けています。銃暴力を減らすための国家プランを実行する時がきたのです」

それからMFOLは若い有権者に対し、自分の選挙区の候補者の銃規制に関する考え方や法案への投票履歴などをよく調べて投票するように呼びかけている。

その影響もあったのか、２０２０年大統領選では重要な激戦州において若い有権者の票がバイデン候補の勝利を助けたと言われている。この選挙でバイデン氏は銃暴力を減らすための対策として、銃購入者の身元調査の義務化や違法な銃販売業者の取締り強化、ゴーストガンの規制強化などを公約に掲げ、就任後の2年間で後ろの2つの公約は大統領令によって実行した。

このようにＭＦＯＬは、銃規制強化に積極的なバイデン政権と民主党議員を支援することで、銃暴力の犠牲者を減らすという目的を果たそうとしているのである。

Z世代とミレニアル世代の政治的影響力

ＭＦＯＬが設立されたのは２０１８年3月だが、実は最近、若者が主体的に政治活動をするケースが増えている。代表的なのは、世界中の政治指導者に気候変動対策を求めるよう若者に呼びかけを行っているスウェーデンの環境保護活動家、グレタ・トゥンベリーさんである。

グレタさんは２０１９年9月、国連の気候変動対策会議で「気候のための学校ストライキ」と称して、学生に学校を休んで抗議デモに参加するように呼びかけたことで一躍有名になった。それ以来、地球温暖化の危機の重大性を警告する活動家の象徴的な存在となり、欧米を中心に世界中の若者に影響を与えている。

また、グレタさんの他にも地球規模の課題に取り組んでいる若手活動家はたくさんいる。２

021年11月にはジュネーブの国連欧州本部で、「ヤング・アクティビスト・サミット（YAS）2021」が開かれ、世界の若手活動家6人が個々の活動内容を紹介した。

そのなかには16歳で子供を貧困から救済し、リサイクルを奨励する銀行を立ち上げたホセ・キソカラ・コンドーリさんや、戦争で荒廃した南スーダンで生まれ、難民キャンプで育った後に平和を呼びかけるビデオゲームの開発に取り組み始めたルアル・マイアンさん、フィリピンでカカオ栽培を通して地元の人々を支援し、気候変動対策に貢献する「カカオプロジェクト」を立ち上げたルイーズ・マブロさんなどが含まれていたが、彼らはイベントに対面で参加した地元の学生や世界140カ国以上からオンラインで参加した若者たちと交流したという。

話をMFOLに戻すと、この団体は地球規模の課題ではないが、米国の公衆衛生上の脅威となっている銃暴力の蔓延を食い止めるための活動を行っている。特に注目されるのは、若者層に投票参加を呼びかける活動がZ世代（1997〜2012年生まれ）やミレニアル世代（1980〜1996年生まれ）の投票率上昇に影響を与えている、と指摘されていることだ。実際、若い有権者は2020年の大統領選でバイデン大統領の勝利に貢献しただけでなく、2022年の中間選挙でも特に重要な激戦州における民主党候補の勝利に貢献した。

この中間選挙はバイデン大統領の支持率低迷と40年ぶりの記録的なインフレなどで、与党民主党は圧倒的に不利な状況に立たされ、事前の予想では共和党の圧勝で同党のイメージカラーである「赤い波が押し寄せる」と言われていた。ところが、結果は下院で共和党が222対2

13の僅差で多数派を奪還したものの、上院では共和党は議席を減らして49対51で少数派となった。結局、赤い波は起こらなかったが、それを阻止したのが若い有権者だったのである。

ハーバード大学ケネディスクール政治研究所の調査部長で、『Fight: How Gen Z Is Channeling Their Fear and Passion to Save America（ファイト：Z世代の不安と情熱がアメリカをいかに救うか）』と題する著書を持つジョン・デラ・ボルペ氏は、2022年の中間選挙で若い世代がもたらした違いについてこう説明した。

「40歳未満のZ世代とミレニアル世代は似たような価値観を持つ有権者グループで、この選挙では共和党よりも民主党への支持の方が18ポイント高く、59対41で民主党をより多く支持した。一方、共和党は40歳以上の有権者グループで民主党よりも10ポイント多く支持を獲得しました。ですから、Z世代とミレニアル世代を合わせた強い支持がなければ、予想通り赤い波が押し寄せていたと思います。とくにZ世代はこれまでの平均よりも今回は投票率も民主党への支持率も高く、大きな違いを生んだわけです」（PBSニュースアワー、2022年11月24日）

デラ・ボルペ氏は具体的な事例として3つ挙げた。

1つは大接戦となったペンシルベニア州の上院選で、30歳未満の有権者グループの票の70%を民主党のジョン・フェターマン候補が獲得した。また、西部のアリゾナ州とネバダ州の上院選でも、民主党のマーク・ケリー候補とコルテス・マスト候補がそれぞれ若者の熱狂的な支持を得て勝利した。

デラ・ボルペ氏によれば、若者の票が激戦州での民主党候補の勝利に貢献するようになったのは2018年11月の中間選挙以降のことだという。MFOLの設立がその約7カ月前であることを考えると、彼らの活動が若者の投票率の上昇に影響を与えた可能性は十分にある。

一方、これまで若者の投票は当てにならないと言われていたことも事実だが、それがなぜ変わったのか。デラ・ボルペ氏は理由をこう説明した。

「ベビーブーマー世代（1946〜1964年生まれ）やX世代（1965〜1980年生まれ）、ミレニアル世代が若い有権者だった頃は、投票率は今のZ世代のおよそ半分でした。しかし、オバマやトランプが大統領になると、政治がいかに若者の生活に関わっているかが明らかになったのです。そこで人々は政治に注目し始め、状況の違いを具体的に実感し始めました。それが第1の要因です。

第2は、パークランドの銃乱射事件を受けて若者が学校での銃乱射事件の広がりに警戒感を持ち、（MFOLなどが）人々に呼びかけて選挙登録を促し、必ず投票するように取り組んできたことです。こうした2つの要因がZ世代の市民としての意識を基本的に呼び覚ましてきたと思います。そしてZ世代が初めて投票したのが2018年でした。同じような状況は2020年にも見られ、今回（2022年）もそれが受け継がれたのです。政治はZ世代にとって非常に重要な意味を持つものとなりました」（前出PBSニュースアワー）

それは同時に政治家にとっても若い世代の考えや要求を無視できなくなったことを意味する

が、2022年の中間選挙ではそれが示された形となった。この選挙で若い有権者の最大の争点となったのは人工妊娠中絶だった。理由は保守派の最高裁判事がその約5カ月前、中絶を容認した過去の判例を覆す決定をしたからである。それによって若い有権者の多くが、「生涯にわたって保障された権利だと思っていたものが失われてしまった」と感じ、中絶の権利を容認する民主党の候補に投票したのである。

若い世代は中絶だけでなく、銃規制や気候変動、LGBTQの平等などにおいても古い世代と異なる考えや価値観を持つ者が少なくないが、これからは政治家が当選するために彼らの意見や要求に耳を傾けなければならなくなるだろう。しかも今後10年から20年の間に、米国の世代別の有権者数の割合は大きく変化することが予想されている。

データ分析調査会社の「ビジュアル・キャピタリスト」によれば、米国のZ世代とミレニアル世代を合わせた有権者数の割合は、2020年の32%から2036年には55%と大幅に増えるという。これまで米国の政治や社会に大きな影響を与えてきたベビーブーマー世代とX世代の有権者数は今後減少し、逆にZ世代とミレニアル世代、アルファ世代（2013年生まれ以降）の有権者はどんどん増えていくことになる。

銃暴力の蔓延を放置してきた古い世代の政治的影響力が弱まる一方で、銃暴力の最大の被害者であり、かつ銃規制強化を支持する人の割合が高い若い世代の影響力が強くなれば、銃問題も解決の方向に向かうかもしれない。

悲しみを行動に移す被害者遺族の闘い

悲惨な銃社会をなんとかしようと立ち上がった人たちは他にもいる。銃撃事件で大切な家族や愛する人を失った被害者遺族たちだが、彼らは心に負った深い悲しみや苦しみを、銃社会を変えるための行動に移したのである。

2012年12月14日、コネチカット州ニュータウンのサンディフック小学校での銃乱射事件で児童20人と教職員6人が殺害されたが、まずはその被害者遺族の話から始めよう。当時小学1年生だった息子のディラン君（6歳）を失った母親のニコル・ホックリーさんは、それ以来ずっと悲しみを抱えて生きてきたという。

事件発生からちょうど10年が過ぎた2022年12月14日、ニコルさんはPBSニュースアワーの番組で、悲しみとどう向き合ってきたかについて話した。

「悲しみが消え去ることはけっしてありません。まだ小学生だった息子を教室で撃ち殺されたのですから。あの子のことを考えない日は1日たりともありません。それでも心にかさぶたができてきたようですが、時々、何かの思い出や特別な匂いが蘇ったり、また悲劇的な事件が起きたりすると、かさぶたがはがれ、心が打ち砕かれ、深い悲しみに突き落とされます。時が経つにつれ、かさぶたが長続きするようになってきましたが、悲しみは常に私の中にあり、日々の生活の一部になっています。その現実を抱えて、なんとか前に進むしかないのです」

ニコルさんは前に進むために他の遺族らと共同で、「サンディフック・プロミス（サンディフックの約束）＝ＳＨＰ」というＮＰＯ団体を立ち上げた。ＳＨＰでは銃乱射事件が繰り返されないように、子供たちが暴力行為を企てる人物の危険な兆候に気づき、通報できるようにするための「兆候を知る（Know the signs）」「何か言って（Say something）」などのプログラムを提供している。これは全米の小学４年生から高校３年生を対象とし、２０２２年現在、３７０万人を超える児童・生徒や教職員が参加しているという。

このプログラムでは、生徒たちが孤独や社会的孤立の兆候を認識する方法と、その状況を改善するために何ができるかなどについても学ぶことができるため、銃乱射事件だけでなくいじめや自傷行為、自殺などの防止にも役立っているそうだ。またＳＨＰは、児童・生徒が他の人物の危険や兆候に気づいた時、モバイルアプリや電話ホットラインなどを使って匿名で通報できるシステムを立ち上げた。通報を受けたら、専門の危機カウンセラーが法執行機関などと連携して対応するが、これによって２０２２年には9件の学校銃乱射計画が回避され、多くの人の命が救われたという。

たとえば、ウェストバージニア州の中学生は学校へ向かうスクールバスの中で、同級生のバックパックに銃が入っているのに気づき、すばやく通報した。その結果、当局がその生徒を拘束し、バックパックの中から銃と弾丸を見つけ、その日に誰かを殺そうと計画していたことを突き止めたという。

児童20人を含む26人が死亡したサンディフックの事件はあまりにも残酷で悲劇的だったことから、ニュータウンは「悲劇の街」として知られるようになった。しかし、ニコルさんは「悲劇の街」ではなく、「〝変化を起こした街〟として記憶してほしい」と語る。

被害者遺族らによって設立されたSHPは、全米で数百万人の生徒や教職員を対象に、銃暴力による悲劇的な命の喪失を止めるための活動を行っている。SHPのホームページには、「これは私たちの約束です。あの事件で私たちの心(hearts)は壊れましたが、精神(spirit)は壊れていません。これは約束です、私たちの悲劇を変革の機会に変えることで、失われた命を無駄にしないようにします……」と書かれている。

サンディフック小学校のあるニュータウンは悲劇を変革に変え、「銃社会に変化をもたらした街」として記憶されるだろう。

息子の死を無駄にしないための銃規制強化

悲しみを行動に移した次の被害者遺族は、子供による銃の誤射事件で息子のイーサン君(5歳)を失った母親のクリスティン・ソングさんと父親のマイクさんである。

事件は2018年1月31日に起きた。その日、ソングさんの家に突然警察官がやってきて、「息子さんが銃で撃たれました。すぐに病院へ行ってください」と告げた。ソング夫妻は病院へ駆けつけると、手術室から出てきた救急医に「お亡くなりになりました。助けられませんでした」と言われた。その瞬間、2人はまるで崖から奈落の底に突き落とされたような気持ちになったという。

イーサン君は親友の家で父親の銃を持ち出して遊んでいるうちに誤って撃たれたと聞かされたが、顔や頭部の損傷があまりにも酷く、病院で見ることを許されなかったそうだ。米国のような銃があふれた社会では、大切な家族や愛する人を失うのは銃乱射事件だけでなく、偶発的な発砲（誤射）によるものも少なくなく、年間数千件起きている。

子供による誤射事件の場合、特に問われるのは銃所有者の親の責任である。イーサン君の親友の家では拳銃はロックされて寝室の引き出しに保管されていたが、キーが近くに置いてあったため、親友が見つけて発砲してしまったという。安全に保管されていたとは言い難い状況だが、コネチカット州の当時の銃規制法では親友の親の責任が問われることはなかった。

そのことに疑問を持ったソング夫妻は子供（未成年者）がいる家庭に対し、銃を安全な場所に鍵をかけて保管することを義務付ける州法の制定を州議会に求める運動を始めた。前述のサンディフック小学校の事件の被害者遺族と同様に、子供を失った悲しみを、銃社会を変えるための行動に移したのである。

2人はその時の気持ちを、「息子を失ったことで、ある種の使命感を得た感じになりました」と語っている（ABCニュース、2021年6月21日）。

それからソング夫妻は、銃規制に積極的な地元の民主党議員を介して法案を州議会に提出するように働きかけ、議会の公聴会で証言する機会も得た。

公聴会ではクリスティンさんが息子を失った深い悲しみについて話した後、「法制定の目的は銃所有者から銃を取り上げることではなく、子供が銃を手に取れないように安全な場所に保管して誤射事件を防ぐことにあります」と説明し、銃規制に否定的な考えを持つ共和党議員の理解を得ることに努めた。

その甲斐もあり、イーサン君が亡くなってから約1年4カ月後の2019年5月、コネチカット州議会は未成年者のいる家庭の銃所有者に安全な保管を義務付ける法案を可決し、成立させた。「イーサン法（Ethan's Law）」と命名されたこの法律により、銃所有者が安全な保管を怠り、誤射などで誰かが負傷もしくは死亡した場合、刑罰を科せられることになった。

ソング夫妻はイーサン法の成立を祝いながら、次の目標を見据えた。それはこの法律を全米規模で連邦法として成立させることだ。米国では400万人以上の未成年者の家庭において、銃が安全とは言い難い状態で保管されていると言われており、連邦法を制定すれば大きな効果が期待できるからである。

それにしても2人はなぜ、そこまで一生懸命になれるのか。その原動力は、「誤射事件で亡くなった息子の死を無駄にしたくない」「息子が生きた証を残したい」という一心だという。

クリスティンさんはイーサン君について、「すばらしい息子でした。よく言うのですが、共感する力は教えて身につくものではありませんが、イーサンにはそれがありました。特に弱い立場の人や動物への思いやりがありました。息子は声なき人たちを守ろうとしました」（前出ABCニュース）と語っている。

それから彼女は誤射事件が起こる数時間前、イーサン君と「行きたい大学がある」「結婚したら、子供が何人ほしい」というようなことを話したそうだ。その希望に満ちた将来を絶たれてしまった息子の無念を晴らしてあげたいという思いであろう。

しかし、民主党と共和党が激しく対立し分断している連邦議会では、銃規制法案の可決は難しい。同法案は民主党が多数派を占める下院で2022年6月に可決されたが、両党の議席が同数の上院では採決に至らなかった。そして2023年1月からは共和党が下院で多数派となったため、法案が可決される見込みはより低くなった。ソング夫妻の闘いはこれからもずっと続くことになろう。

3番目の被害者遺族のケースは、コロラド州オーロラの映画館での銃乱射事件で息子を失った父親が州議会議員となって、銃規制法を成立させた話である。2012年7月20日、12人が死亡し、70人以上が負傷した事件で息子のアレックス君を失ったトム・サリバン氏はその後、州議会議員選挙に立候補して当選し、同州の銃規制法の成立に尽力した。

コロラド州議会は2013年に銃購入者に身元調査を義務付け、殺傷力の高い攻撃用銃（アサルト銃）の販売を禁止する法案を可決し成立させた。また、2019年には危険とみなされる人物から当局が銃を一時的に没収することを可能とする「レッドフラッグ（危険信号）法」を成立させた。これによって、翌2020年に同州内で危険人物から銃を没収してほしいという嘆願が113件寄せられ、少なくとも10人の命が救われたとの報告があり、銃暴力の犠牲者を減らすために議員になったサリバン氏としては報われた気持ちになったという。

しかしその一方で、サリバン氏はいくら州法の銃規制を強化しても限界を感じることもあるという。なぜならコロラド州だけ身元調査を義務付けたり、攻撃用銃を禁止したりしても、周辺州の規制が緩ければそこで銃を入手して持ち込んでしまうからである。そのためサリバン氏は、バイデン大統領や連邦議会に連邦法による銃規制強化を求めているが、先述したようにそれはなかなか難しい。

銃暴力の蔓延は公衆衛生上の重大な脅威

連邦議会が銃規制法案をなかなか可決できない理由として、NRAや憲法修正第2条の存在に加えて、国民の銃問題についての意識と関心が今ひとつ盛り上がっていないことも要因になっていると思われる。Z世代やミレニアル世代など若者の銃規制強化を求める声は高まっているが、それ以外の年齢層ではその傾向は見られず、全体として銃規制に対する関心はあまり高くない。

たとえば、2022年11月の中間選挙の前に行われた世論調査会社ギャラップの世論調査では、有権者の間で最も優先課題が高かったのは経済・インフレで、次に中絶、犯罪、銃規制、移民、対ロシア関係、気候変動と続いた。もし銃規制が有権者の最大関心事になれば、ＮＲＡの影響を強く受けた共和党議員も簡単に法案に反対することはできなくなるだろう。

有権者の銃問題への関心を高めるためには、銃暴力の蔓延を公衆衛生上の危機として認識してもらうことだが、そのためにあえて声をあげた人たちがいる。それは銃で撃たれた被害者の治療を行っている医師や看護師などの医療従事者だが、彼らの行動が注目されるきっかけとなる出来事があった。

医療従事者とその関係機関は長い間、「銃暴力の蔓延は公衆衛生上の重大な脅威である」と主張してきたが、米国内科学会は２０１８年11月、「米国における銃による負傷と死亡を減らすための意見書」を発表した。すると、ＮＲＡがこれに反発し、「医師たちは自身の〝レーン〟（領域）にとどまり、銃へのアクセスや規制、傷害防止などの議論に加わらないように」とツイートしたため、医療従事者が激怒して一斉に立ち上がった。彼らは、「# ThisIsOurLane（これは私たちの領域だ）」というハッシュタグをつけて、「私たちこそ、この問題の中心にいる。医療従事者は被害者の怪我の治療だけでなく、本人や家族の精神的ケアもしている」などのメッセージをＳＮＳに次々に投稿したのである。

これには救急医学や外科内科、理学療法、精神医学などの医師の他、大量殺戮の現場に直面する救急隊員、大量の輸血を管理する看護師、集中治療室の投薬を補助する薬剤師、病院の血まみれの床を掃除する清掃スタッフなども加わり、ＳＮＳには血の付いたスクラブ（洗浄ブラシ）やフェイスマスク、皮膚の写真なども投稿されたために反響を呼び、メディアでも大きく取り上げられた。

また、医療従事者の中には自ら銃撃事件の被害者になった人もいる。

メリーランド州ボルチモアにあるジョンズ・ホプキンス大学病院でＰＴＳＤ（心的外傷後ストレス障害）の専門医を務めるジョゼフ・サクラン医師は17歳の高校生の時、フットボールの練習場で銃撃され重傷を負ったというが、その経験も踏まえて被害者の精神的ケアの重要性を強く主張する。

「身体的損傷についてはよく取り上げられますが、心理的トラウマのケアも忘れてはなりません。たとえば、学校の教室で友だちが目の前で殺されるのを見る子供たちのことを想像してみてください。学校での銃乱射事件が多発する中で、多くの子供たちはこうした経験をしていると思われますが、彼らの将来がどうなるのかとても心配です。私たちにはこの状況を変えるチャンスがあるのです」（ＰＢＳニュースアワー、２０２2年6月6日）

米国では年間約４万人が銃で死亡し、その数倍の十数万人が損傷を受け、さらにその何倍もの人たちが発砲事件に巻き込まれたり、目の前で家族や友人を失ったりしている。銃暴力の蔓延は多くの米国人の健康と命に関わる問題であるため、医療従事者はその解決には公衆衛生的アプローチが必要だと主張し、銃暴力に関する研究を推進するよう連邦政府に求めてきた。

しかし、ＮＲＡは公衆衛生の主導的立場にある連邦政府機関のＣＤＣ（米国疾病予防管理センター）が銃暴力の原因や予防に関する研究調査を行うことに反対し、ワシントンでの共和党議員へロビー活動を強化することで、それを妨害してきたのである。

政治的な分断を越えて団結できるか

連邦議会は１９９６年の包括的歳出法案に、「銃規制の擁護及び推進につながる恐れがあるため、ＣＤＣの資金を銃暴力に関する研究調査に割り当てるべきではない」とするディッキー修正条項を加えて可決したが、その裏にはＮＲＡによる共和党議員への圧力があったことがわかっている。ちなみに修正条項の名前は、法案を作成したジェイ・ディッキー共和党下院議員にちなんで名づけられたものである。

連邦議会はそれから20年以上にわたってＣＤＣに銃暴力の研究予算を割り当てなかったため、この分野の研究活動は著しく減少した。しかし、２０１２年のコネチカット州のサンディフック小学校や２０１６年のフロリダ州オーランドの同性愛者向けナイトクラブ、２０１７年のネバダ州ラスベガスのコンサート会場などでの銃による大量殺傷事件が相次いだことで、医療や公衆衛生の専門家だけでなく、政治家の間でも銃暴力を公衆衛生の問題として対応するべきという考え方が広まった。

それを受けて連邦議会では、民主党議員とＮＲＡの影響を受けていない中道派の共和党議員が共に行動を起こした。彼らはディッキー条項を再修正し、ＣＤＣに銃暴力関連の研究資金を割り当てることを可能にする法案を提出、２０１８年に可決した。これによってようやく研究が再開されることになったのである。

ジェローム・アダムス公衆衛生局長官は２０１９年11月、米国公衆衛生協会の年次総会で、「私たちは公衆衛生の専門家として銃暴力の蔓延に対する解決策を見出すだけでなく、それが確実に実行されるようにすることを決意しました」と述べた。

また、米国医師会も「銃暴力は公衆衛生上の問題である」と改めて宣言し、様々な医療分野のリーダーが連携して、銃暴力の原因や損傷リスク、予防などについて継続的な話し合いができるようにするためのシステムづくりに着手すると発表した。

銃問題対策で大切なのは、政治的なイデオロギーではなく科学的なエビデンス（証拠）に基づいて進めることである。公衆衛生の専門家でもあるメーガン・ラネー医学博士は、オンラインマガジン『パースペクティブ』（２０１９年1月31日）に寄稿した記事でこう述べている。

「銃暴力のような根深い問題に対応するためには、政治的な分断を越えて私たち全員が一丸となって取り組まなければならない。リベラルと保守、都市部と農村部などに分かれるのではなく、銃暴力による人的被害を目の当たりにしている医療従事者を含め、全ての人が団結する必要がある。分断ではなくインクルージョン（包括、一体性）を強調することで、党派間の対立による停滞を克服し、真の変化を生み出すことができるかもしれない」

つまり、問題解決のために重要なのは銃規制派と銃所持派、リベラル派と保守派、民主党と共和党などの違いを越えて、人々がどれだけ団結できるかということだという。たしかに両者が団結するのは容易なことではないが、全く不可能というわけではない。地域や州レベル、一部の団体などではすでに行われている。

たとえば、どちらかと言えば銃規制派に属している米国自殺防止財団（ＡＦＳＰ）と、銃産業の主要業界団体で銃所持派の全米射撃スポーツ財団（ＮＳＳＦ）は、共同で銃による自殺防止教育プログラムを始めたという。これはＮＳＳＦと関係のある銃販売店が銃購入者に自殺予防教育を提供したり、ＡＦＳＰが射撃場のスタッフに自殺リスクのありそうな顧客（射撃を練習する人）を特定する方法を教えたりして銃による自殺を予防しようという試みだが、立場の異なる２つの団体が協力することで可能となった。

ＮＲＡのような強硬姿勢の団体は難しいかもしれないが、銃所持派の中にも、銃暴力の被害者を減らすという最終的な目的のためには立場の異なる人たちとも協力するという団体は、少なからず存在するのである。

また、銃規制法に関しても連邦レベルでは難しいが、州レベルでは民主党と共和党の議員が協力して法律を制定させているケースは少なくない。たとえば、全ての銃購入者に身元調査を義務付ける銃規制法は連邦レベルではまだだが、州レベルではカリフォルニア、コロラド、コネチカット、ワシントン、ニューヨークなど14州ですでに制定されている（しかし、州法の効果は限定的なため、連邦法の制定が必要だということは先述した通りである)。

結局のところ、大多数の米国人は銃暴力を減らして自分や家族が安全に、かつ安心して暮らせるようになることを望んでいるのではないかと思われる。したがって、連邦議会選挙で多くの有権者がその気持ちを最優先して投票すれば、銃規制に積極的な民主党議員をより多く当選させ、反対にＮＲＡに牛耳られた共和党議員を多く落選させることができるだろう。そうすれば、米国でも他の先進国と同じように常識的な銃規制を実施することができるのではないか。米国の銃問題解決のための新たな取り組みはこれからが本番である。

銃を持たない日本が米国に助言できること

最後に、銃問題への対応において両極端にある日本と米国との関係について考えてみたいと思う。日本は世界で最も厳しいレベルの銃規制を実施し、銃による死者数を年間数人程度に抑えているが、この状況は毎年約４万人が銃で命を落としている米国からみたら信じられないだろう。一般市民の銃所持を原則として禁止し、銃を持たない選択をした日本が、銃暴力の蔓延に苦しむ米国に何か助言できることはあるのだろうか。

そのヒントを与えてくれるのが、米国留学中に銃で殺害された服部剛丈さんの両親が始めた米国での銃規制を求める署名活動ではないかと思う。服部さん夫妻は、「ただ憎んでも息子はかえってこない。だったら、息子ならこうしただろうなと、私たちが想像をすることをするしかない」（朝日新聞、2022年10月10日）と考えて始めたというが、他の多くの米国人の被害者遺族と同じように、愛する人を失った悲しみから立ち上がり、銃社会を変えるための行動に移したのである。

夫妻は日本と米国で約180万人分の署名を集め、1993年11月に当時のクリントン大統領と面会し、それを手渡した。クリントン政権はその数週間後、銃購入者に5日間の身元調査期間を義務付ける「ブレイディ法」を制定したが、この署名活動が法案成立の後押しになったとも言われている。

その一方で、銃所持派の人たちからは、「他の国からやってきて、私たちの国にどうしろこうしろと言うのは腹が立つ」「日本が米国に意見しようというのか」「銃規制の強化を求めるのは内政干渉ではないか」などの反発や批判も出た。しかし、これは内政干渉などではない。外国人であっても公的機関に属していない民間人が米国の政策に意見することは、合衆国憲法修正第1条で保障された言論・表現の自由の範囲内である。もともと銃所持の権利を強硬に主張する人たちは憲法修正第2条の武器保有権を強く主張する一方で、修正第1条の表現の自由を蔑ろにする傾向があるのだ。

服部さん夫妻が行ったことは一部の米国人から反発を受けたが、悲惨な銃社会を変えるための銃規制推進活動を勢いづけたという点で大きな意味があったと思う。2人は2022年10月、事件から30年間続けてきた活動の一線から退くことを発表したが、その際、米国の銃規制推進団体の元代表から、「あなたがたの活動のお陰で、銃暴力防止運動が始まり、強くなった」と感謝の言葉が寄せられたという（前出・朝日新聞）。

夫妻は30年前、剛丈さんの死亡保険金で米国から留学生を受け入れる「ＹＯＳＨＩ基金」を設立したが、以来受け入れた学生は31人にのぼるという。この留学生たちには、「憎むより、再び悲劇が起きないように」との服部さんの思いを受け継ぎ、銃暴力の脅威のない日本で暮らし学んだ経験を活かして両国の架け橋となり、米国を安全な社会にするために寄与してほしいものである。

米国は日本にとって同盟国であり、日本はこの国とうまくやっていくしかない。特にロシアによるウクライナ侵攻の後、中国の武力行使による台湾有事の懸念も大きくなり、日本を取り巻く安全保障環境は厳しさを増し、日米同盟の重要性と相互依存性はかつてないほど高まっている。

このような状況のなか、両国が信頼できる真のパートナーとなるためには、日本が一方的に米国の言い分に従うのではなく、主張すべきは主張しつつも、互いに理解し尊重し合える関係にしていくことが重要である。そのためにも銃問題に関しては、日本が厳しい銃規制を実施することで銃犯罪率を極めて低く抑えている実績と経験によるノウハウを、銃暴力の蔓延に苦しむ米国に伝授してもよいのではないか。

あとがき

本書の原稿をほぼ書き終えた2023年2月下旬、私は米国の高校で起きた銃乱射事件をテーマにした映画『対峙』（原題：Mass）を東京都内の劇場で観た。「Mass」とは教会で行われるミサ（儀式）のことだが、映画では乱射事件の被害者と加害者の両親が教会の一室で直接会い、お互いの悲しみや怒り、喪失感などをぶつけ合いながら、「なぜこんな事件が起きてしまったのか」を問い続けていく。

被害者の両親は、「息子はなぜ殺されなければならなかったのか？ 防ぐことはできなかったのか？ それを知りたい」と加害者側に迫るが、納得のいく答えを得られず、だんだん感情的に口調が荒くなってくる。一方、加害者の両親も子供がなぜあんな事件を起こしてしまったのかをずっと考えてきたが、よくわからないという。しかし、その少年は学校で孤立してゲームに夢中になり、パイプ爆弾を作って補導され、精神鑑定で嘘をついて言い逃れをしていたことがわかっている。

被害者の父親はそのことについて触れ、「あの時、精神科医の診断を受けさせるなど、何かできることはなかったのか」と責め立てた。すると、加害者の父親は「息子は嘘をついて言い逃れをしたが、サイコパス（反社会的な精神病質者）ではなかった」と反発し、母親は「私は

〝人殺し〟を育ててしまったのよ」と泣き崩れた。

銃乱射事件で愛する息子を奪われた親と、〝人殺し〟を育ててしまったという親の行き場のない感情がスクリーンを通して観客にのしかかってきて、私は言い様のない悲しみに襲われ、息苦しくなった。

映画では事件についての説明やショッキングな映像は一切ないが、観客は4人の言葉や表情、声のトーンなどから、どんな事件だったのかだんだんわかってくる仕掛けになっている。

事件現場となった学校の教室には最初、パイプ爆弾が投げ込まれ、生徒たちは「一体何が起きたのか」と驚いている間に次々と銃で撃たれた。目の前にいる同級生が顔や頭から血を流して倒れるのを見ながら、「次は自分か」と待つのはどんなに恐ろしいことか。

被害者の父親は「息子は恐怖に怯えながら亡くなった。最後の瞬間、どんな気持ちだったのかを思うと、やり切れない」と声を震わせた。また、加害者の両親も、子供が殺人犯となり10人を殺したことで、想像を絶するような社会的非難・中傷を受け、眠れない夜を過ごし、苦しんできた。事件から6年過ぎた今も、自宅には脅迫状やヘイトメールが届くという。

このように銃乱射事件では、被害者と加害者、双方の遺族や家族が長い間にわたって苦しめられることになる。しかも米国では銃撃事件は学校や職場、スーパー、映画館など至る所で起きており、銃による死亡者は年間約4万人にのぼっている。これだけ多くの人が銃で人生を狂わされ、苦しめられているにもかかわらず、米国はなぜ、常識的な銃規制を実施できないのか。

その疑問を解明し、問題解決に向けた新たな可能性を提示するのが本書を執筆する前に掲げた目標だったが、それはなかなか難しい作業だった。

本書で述べたように、そこには米国民の銃所持の権利を認めた憲法修正第2条と、それを錦の御旗にして強硬なロビー活動を展開している全米ライフル協会が存在することに加え、米国が建国時代から大切にしている個人の自由と権利、民主主義、自衛意識などの基本的価値が銃の問題と密接に関係しており、銃規制を進める上で大きな妨げになっているからである。

私が米国の銃問題の取材を始めたのは30年以上前のことだが、現在の状況は当時よりかなり悪化しているように思える。

その要因はいくつか考えられるが、第一に米国内で民間人が所有している銃の数が大幅に増えていることだ。たとえば、1990年代初めにはその数は約2億6000万丁と推定され、当時の人口（約2億5000万人）とほぼ同じだったが、現在は約4億3300万丁と、3億3200万人の人口を大きく上回っている。第2章でも述べたが、民間所有の銃の数が人口を上回っている国は、世界で米国だけである。

銃の増加に伴い、銃暴力の犠牲者の数もどんどん増えている。たとえば、殺人や自殺、誤射事件などを含む銃で命を落とした人の数は2004年に2万9569人だったが、2016年には3万8658人と4万人に近づいた（序章の図表0-1）。そして2020年には新型コロナによる社会不安が広がる中で、銃の購入者が激増したこともあり、銃の犠牲者は4万522人と過去最高となった。

銃問題が悪化している2つ目の要因としては、米国社会の分断がより深まっていることがあげられる。分断は今に始まったことではなく、1960年代頃からのリベラル派と保守派の価値観の対立を巡る「文化戦争」に端を発していることは既述したが、2017年に誕生したトランプ政権がそれを一段と悪化させた。分断が深まると、民主党と共和党の対立が激化し、共和党と強く結びついている全米ライフル協会の影響力も強まって、銃規制法の制定がより難しくなってくるのである。

3つ目の要因はトランプ前大統領の暴力的で敵対的な言動による悪影響である。トランプ氏は社会の分断を悪化させただけでなく、政治的暴力を煽り、個々の目的を達成するためには暴力的な手段を使ってもやむを得ないというような風潮を作り出した。その結果、白人至上主義者や過激主義者による銃乱射事件が多発し、銃問題が悪化したことは第3章で述べたが、最近になって信じられないような事件も起きている。

2023年1月16日のABCニュースは、ニューメキシコ州議会の下院議員選挙に共和党から立候補し、大差で敗北した男が逮捕されたと報じた。その男は落選したことを受け入れず、「選挙に不正があった」と主張し、なんと殺し屋を雇って民主党の州議会議員や行政管理官など4人の自宅を銃撃させたというのだ。そのうちの一軒では、10歳の娘の寝室に実弾が撃ち込まれたという。

トランプ前大統領は２０２０年の大統領選で「大規模な不正があった」と根拠のない主張を繰り返し、連邦議会議事堂襲撃事件を扇動した容疑で刑事捜査を受けているが、この男もトランプ氏の嘘に影響されて犯行に及んだ可能性は高い。

連邦捜査局（ＦＢＩ）は最近、「公職者に対する襲撃事件が全国的に増えている」と警告したが、米国の銃暴力は歯止めが利かない状況になってきた。これも有効な銃規制を行わずに銃所持の権利ばかりを尊重し、銃をほとんど野放しにしてきた結果ではあるが、今後の米国銃社会の行方をみる上で、２０２４年の大統領選と連邦議会選挙の結果は非常に重要となる。

もしバイデン大統領が再選され、上下両院とも民主党が多数派となれば、連邦銃規制法案も可決しやすくなるため、銃問題においてかなりの改善が期待できる。しかし、トランプ氏が再び大統領に返り咲くか、あるいは他の共和党候補が本選で勝利し（共和党候補のほとんどは全米ライフル協会の強い支持を受けているため、銃政策に関してはトランプ氏と大差ない）、なおかつ共和党が上下両院で多数を握った場合は、最悪のシナリオとなるだろう。つまり、銃規制を進めるどころか逆に規制を緩め、銃所持の権利を拡大しようとする可能性があるため、銃問題の一層の悪化が予想されるということだ。

しかし、たとえ最悪のシナリオになったとしても、私はこの国に絶望することはない。なぜなら、米国との50年近い付き合いを通して培ってきたものがあるからである。

私は1970年代半ば、20歳の時に初めて渡米し、当時カウンターカルチャー（反体制文化）の象徴的存在だったカリフォルニア州バークレーに住み、またロサンゼルスでアダルトスクール（移民学校）に通い、英語や米国の歴史・政治などを学んだ。そして様々な人種、民族、文化、価値観、考え方、ライフスタイルなど多様性にあふれた社会で生きることのすばらしさを肌で体感した。

その後、米国の大学院で修士号を取得し、日本に帰国してからは米紙の東京支局記者として米国人の興味や視点を踏まえて日米間の様々な問題をレポートした。フリーランスになってからもずっと米国にこだわり、日米両国を行き来しながら、銃暴力や人種差別、白人至上主義、貧困・格差、少年犯罪、麻薬、高齢化などのテーマで執筆活動を続けてきた。このような取材をしながらいつも感じるのは、米国は日本と比べものにならないくらい深刻な問題をたくさんかかえているが、つねにそれらに真っ向から立ち向かい、現実的で合理的な解決策をどんどん打ち出してくるということだ。

たとえば米国では近年、銃暴力の蔓延に加え、人種差別と憎悪犯罪の問題が深刻化している。2020年5月には黒人男性のジョージ・フロイドさんが白人警察官に拘束され、地面に首を押さえつけられて死亡するという衝撃的な事件が起きた。すると、これに対して全米で黒人だけでなく、白人やアジア系、ヒスパニックなども加わって抗議の声をあげ、黒人差別撤廃と警察組織の改革を求める「ブラック・ライブズ・マター（BLM=黒人の命は大切）」運動へと発展した。その結果、司法当局が警察の組織改革に動き出したのである。

銃の問題は依然厳しい状況にあるが、終章で述べたように新たな希望、可能性は出てきている。私が特に期待しているのは、Z世代やミレニアル世代など若者たちが銃暴力の問題を自分事としてとらえ、また国の将来に関わる重大な公衆衛生危機として真剣に向き合い、バイデン大統領や連邦議員に銃規制の強化を求める行動を起こしたことだ。

米国には「ザ・ベスト」（最良）と「ザ・ワースト」（最悪）が共存しているが、銃暴力の蔓延は当然最悪の部類に入るだろう。一方で、多様性に満ちたこの国では、常に新しい発想や考え方・価値観が生まれ、すさまじい情熱とエネルギーを持った人たちがダイナミックな社会変革への挑戦を続けている。

若い世代の人たちには、250年前の建国時代の「ミリシア」に与えられた銃所持の権利と憲法修正第2条を頑なに維持しようとするのではなく、年間4万人が銃で命を落としている悲惨な状況を踏まえて、この問題に現実的かつ合理的に対応してほしいものである。そうすれば、銃暴力の被害を減らすための有効な対策を講じることができるのではないかと、私は思う。

2023年5月

矢部　武

矢部 武（やべ・たけし）
1954年、埼玉県生まれ。国際ジャーナリスト。70年代半ばに渡米し、アームストロング大学で修士号を取得。帰国後、米紙ロサンゼルスタイムス東京支局記者等を経てフリーに。銃社会、人種差別、麻薬など米国深部に潜むテーマを抉り出す一方で、高齢化や社会問題などを比較文化的に分析し解決策をさぐる。
著書に『世界大麻経済戦争』（集英社新書）、『大統領を裁く国アメリカ』（同）、『アメリカ白人が少数派になる日〜「2045年問題」と新たな人種戦争』（かもがわ出版）、『日本より幸せなアメリカの下流老人』（朝日新書）、『大麻解禁の真実』（宝島社）、『60歳からの生き方再設計』（新潮新書）、『アメリカ病』（同）、『アメリカよ、銃を捨てられるか』（廣済堂出版）、『もし銃を突きつけられたら〜銃社会アメリカの安全な歩き方』（ダイヤモンド社）、『人種差別の帝国』（光文社）、『危険な隣人アメリカ』（講談社）、『少年犯罪と闘うアメリカ』（共同通信社）など多数。

年間４万人を銃で殺す国、アメリカ――終わらない「銃社会」の深層

2023年６月30日　初版第１刷発行

著者 ――― 矢部　武
発行者 ―― 平田　勝
発行 ――― 花伝社
発売 ――― 共栄書房
〒101-0065　東京都千代田区西神田2-5-11出版輸送ビル2F
電話　03-3263-3813
FAX　03-3239-8272
E-mail　info@kadensha.net
URL　https://www.kadensha.co.jp
振替 ――― 00140-6-59661
装幀 ――― 黒瀬章夫（ナカグログラフ）
印刷・製本― 中央精版印刷株式会社

ISBN978-4-7634-2069-5 C0036